Gerente Minuto

Apresentar um bestseller mundial, já traduzido para 22 idiomas e com mais de 4 milhões de exemplares vendidos, parece tarefa desnecessária. O Gerente-Minuto não é, contudo, apenas um livro de sucesso. É uma abordagem nova sobre o gerenciamento de pessoas que tem trazido resultados impressionantes às empresas que já adotaram este método extremamente simples, porém de importância fundamental.

Não importa se sua empresa é uma multinacional, uma estatal ou uma pequena ou média empresa. Não importa ainda que você tenha poucos ou mesmo nenhum subordinado. Os conceitos do Gerente-Minuto podem ser aplicados no seu trabalho, na sua família, no seu círculo de amigos, melhorando a qualidade dos seus relacionamentos e ajudando as pessoas que trabalham ou convivem com você a obterem melhores resultados e a usufruírem de um maior grau de satisfação e sentimento de realização.

Na qualidade de ex-aluno e amigo do Dr. Ken Blanchard, é para mim um grande orgulho poder contribuir para a disseminação no Brasil da metodologia de gerência que nos ajudará, no limiar do século XXI, a ingressar no seleto clube dos países em que a prosperidade e a produtividade são resultado do investimento nas pessoas.

Convido-o a se juntar às centenas de milhares de brasileiros que fizeram deste livro seu manual prático para a obtenção de melhores resultados em menos tempo e com menos estresse.

Prof. Peter Barth
Presidente — Intercultural
Representante exclusivo da
Blanchard Training and Development, Inc. no Brasil

A biblioteca do gerente-minuto

O gerente-minuto
O gerente-minuto desenvolve equipes de alto desempenho
O gerente-minuto em ação
Liderança e o gerente-minuto
A mãe-minuto
O pai-minuto
O professor-minuto
O vendedor-minuto

Kenneth Blanchard, Ph.D.
Dr. Spencer Johnson

O Gerente Minuto

Tradução de
RUY JUNGMANN

Revisão Técnica de
PETROS KATALIFÓS
Gerente de Desenvolvimento de Recursos Humanos
Grupo Siemens – Brasil

49ª EDIÇÃO

EDITORA RECORD
RIO DE JANEIRO • SÃO PAULO
2025

CIP-Brasil. Catalogação-na-fonte
Sindicato Nacional dos Editores de Livros, RJ.

Blanchard, Kenneth H., 1939-
B571g   O gerente-minuto / Kenneth Blanchard e Spencer
49ª ed.   Johnson: tradução de Ruy Jungmann. – 49ª ed. – Rio de
          Janeiro: Record, 2025.

Tradução de: The one-minute manager
ISBN 978-85-01-02179-3

1. Administração. I. Johnson, Spencer. II. Título.

                    CDD – 658
93-0223   CDU – 65

Título original norte-americano
THE ONE-MINUTE MANAGER

Copyright © 1981 by Kenneth Blanchard, Ph.D. and
Spencer Johnson, M. D.
Todos os direitos reservados.

Direitos exclusivos de publicação em língua portuguesa no Brasil
adquiridos pela
EDITORA RECORD LTDA.
que se reserva a propriedade literária desta tradução.

Impresso no Brasil pelo
Sistema Cameron da Divisão Gráfica da
DISTRIBUIDORA RECORD DE SERVIÇOS DE IMPRENSA S.A.
Rua Argentina, 171 – Rio de Janeiro, RJ – 20921-380 – Tel.: 2585-2000

ISBN 978-85-01-02179-3

Seja um leitor preferencial Record
Cadastre-se no site www.record.com.br
e receba informações sobre nossos
lançamentos e nossas promoções.

EDITORA AFILIADA

Atendimento e venda direta ao leitor:
sac@record.com.br

Sumário

A Busca	9
O Gerente-Minuto	15
O Primeiro Segredo: Objetivos-Minuto	23
Os Objetivos-Minuto: Sumário	33
O Segundo Segredo: Elogios-Minuto	35
Os Elogios-Minuto: Sumário	43
A Avaliação	46
O Terceiro Segredo: Repreensões-Minuto	49
As Repreensões-Minuto: Sumário	58
O Gerente-Minuto Explica	60
Por que os Objetivos-Minuto Funcionam	64
Por que os Elogios-Minuto Funcionam	75
Por que as Repreensões-Minuto Funcionam	85
O Novo Gerente-Minuto	99
Um Presente a Si Mesmo	100
Um Presente aos Outros	105
Agradecimentos	109
Sobre os Autores	110
Serviços Disponíveis	112

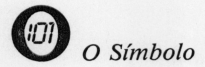 *O Símbolo*

O símbolo do Gerente-Minuto — a indicação de um minuto no mostrador de um moderno relógio digital — destina-se a lembrar a todos nós a reservar um minuto em nosso dia para observar as fisionomias das pessoas que gerenciamos. E, também, a nos fazer compreender que *elas* são os nossos recursos mais importantes.

Introdução

Nesta curta história, apresentamos ao leitor uma boa parte do que aprendemos em nossos estudos de medicina e das ciências do comportamento sobre a maneira como pessoas trabalham melhor com outras pessoas.

Por "melhor", entendemos o modo como pessoas produzem resultados valiosos e se sentem bem consigo mesmas, com a organização ou empresa, e com as demais pessoas com quem trabalham.

A parábola do Gerente-Minuto constitui uma compilação simples do que numerosas pessoas experientes nos ensinaram e do que aprendemos por nós mesmos. Damos aqui o devido crédito à importância dessas fontes de sabedoria. Compreendemos também que vocês, na qualidade de gerentes, considerarão as pessoas com as quais vocês trabalham como uma de *suas* fontes de sabedoria.

Confiamos, por conseguinte, em que aproveitem os conhecimentos práticos que obtiverem com a leitura deste livro e utilizem-nos em seu dia-a-dia como gerentes. Pois, como nos ensina Confúcio, o antigo sábio: "A essência do conhecimento é, tendo-o, usá-lo."

Temos esperança de que sintam prazer em *usar* o que aprenderem neste livro e que, como resultado, vocês e as pessoas com quem trabalham levem vidas mais sadias, mais felizes e mais produtivas

Kenneth Blanchard, Ph.D.
Spencer Johnson, M.D.

ERA uma vez um jovem brilhante que andava à procura de um gerente eficaz.
Queria trabalhar com ele. Queria tornar-se um deles.
A busca levou-o, durante muitos anos, a lugares muito distantes do mundo.
Esteve em pequenas cidades e nas capitais de grandes nações.

Conversou com inúmeros gerentes: com administradores públicos e oficiais das forças armadas, mestres-de-obras de construção civil e executivos de grandes empresas, diretores de universidade e supervisores de fábrica, responsáveis por serviços de utilidade pública e diretores de fundações, com gerentes de lojas e armazéns, de restaurantes, bancos e hotéis, com homens e mulheres, jovens e velhos.

Conheceu todos os tipos de escritórios, espaçosos e acanhados, luxuosos e modestos, com janelas ou sem elas.

Começava aos poucos a conhecer todo o espectro da maneira como pessoas chefiavam pessoas.

Mas nem sempre ficava satisfeito com o que via.

Conheceu numerosos gerentes "durões", cujas empresas pareciam vencer, enquanto seus empregados perdiam.

Alguns dos superiores desses homens julgavam-nos bons gerentes.

Muitos de seus subordinados pensavam o contrário.

Nas salas desses "durões", fazia-lhes uma pergunta:

— Que tipo de gerente o senhor diria que é?

As respostas variavam muito pouco.

— Sou um gerente autocrático, mantenho o controle da situação — respondiam-lhe. Ou: — Um gerente preocupado com os fatores básicos. Prático. Realista. Orientado para o lucro.

Em suas vozes, notou orgulho e interesse por resultados.

Conheceu também muitos gerentes "bonzinhos" cujo pessoal parecia ganhar enquanto as empresas perdiam.

Alguns de seus subordinados pensavam que eles eram bons gerentes. Mas os superiores deles tinham suas dúvidas.

Ouvindo essas pessoas "boazinhas" responderam à mesma pergunta, ouvia o seguinte:

— Eu sou um gerente democrático. — Ou: — Participativo. Apoiador. Atencioso. Humano.

Percebeu que diziam isso com orgulho e tinham interesse nas pessoas.

Mas sentia-se perturbado.

Era como se a maioria dos gerentes do mundo estivesse basicamente interessada ou em resultados ou em pessoas.

Aparentemente, os que se interessavam por resultados recebiam o rótulo de "autocráticos", enquanto que os que se preocupavam mais com as pessoas eram rotulados de "democráticos".

O jovem achava que esses dois tipos de gerentes — o autocrata "durão" e o democrata "bonzinho" — eram apenas parcialmente eficazes. Isto é como ser meio gerente, pensava.

Cansado e desanimado, voltou para casa.

Ele até que poderia já ter desistido de sua busca, mas possuía uma grande vantagem. Sabia exatamente o que procurava.

Gerentes eficazes, pensava, gerenciam a si mesmos e as pessoas com quem trabalham de um modo tal que tanto a empresa quanto as pessoas saem ganhando.

Por toda parte, o jovem procurara um gerente eficaz, mas só conseguiu encontrar bem poucos. E esses poucos não queriam compartilhar com ele seus segredos. E começou a pensar que, talvez, jamais descobrisse o que realmente torna um gerente eficaz.

Por essa ocasião, ouviu falar coisas maravilhosas sobre um gerente muito especial que, ironicamente, residia numa cidade próxima. Ouviu dizer que as pessoas gostavam de trabalhar para ele e que, juntos, produziam grandes resultados. Perguntou-se o jovem se tais histórias eram realmente verdadeiras e, caso fossem, se o tal gerente se disporia a compartilhar com ele seus segredos.

Curioso, telefonou à secretária desse gerente especial, solicitando uma entrevista. A secretária colocou-o imediatamente em contato com ele.

Ao perguntar-lhe quando poderia ir visitá-lo, o jovem ouviu em resposta:

— Qualquer dia desta semana, com exceção de quarta-feira pela manhã. Pode escolher a hora.

O jovem riu consigo mesmo, achando que esse gerente supostamente maravilhoso estava meio "pirado". Que tipo de gerente dispõe assim de tanto tempo? Mas estava profundamente interessado. E resolveu visitá-lo.

AO chegar à sala do gerente, o jovem encontrou-o de pé, olhando pela janela. Quando tossiu para anunciar sua presença, o gerente virou-se e sorriu. Convidou-o a sentar-se e perguntou:
— Em que lhe posso ser útil?
— Eu gostaria de lhe fazer algumas perguntas sobre a maneira como o senhor gerencia pessoas — disse o jovem.
Cordialmente, o gerente respondeu:
— Pode perguntar.
— Bem, para começar, o senhor mantém reuniões regulares com seus subordinados?
— Mantenho, uma vez por semana, às quartas-feiras, das 9:00 às 11:00. É por isso que não poderia recebê-lo nesse horário — respondeu o gerente.
— O que é que o senhor faz nessas reuniões? — sondou o jovem.
— Escuto, enquanto meu pessoal relata e analisa o que realizou na semana anterior, os problemas que enfrentaram, e o que precisa ainda ser realizado. Em seguida, traçamos planos e estratégias para a semana seguinte.
— As decisões tomadas nessas reuniões são obrigatórias para o senhor e seu pessoal? — indagou o jovem.
— Claro que são — disse o gerente. — Senão, qual seria a vantagem de convocar a reunião?

— Neste caso, o senhor é um gerente participativo, não é? — perguntou o jovem.
— Pelo contrário — retrucou o gerente. — Não acredito em participar de qualquer tomada de decisão pelo meu pessoal.
— Neste caso, qual é a finalidade das reuniões?
— Eu já lhe disse isso — replicou ele. — Por favor, jovem, não me peça para repetir. Isto seria uma perda de seu tempo e do meu. Estamos aqui para obter resultados — continuou o gerente. — A finalidade desta empresa é a eficiência. Sendo organizados, somos muito mais produtivos.
— Oh, então o senhor está bem ciente da necessidade de produtividade. Neste caso, é mais orientado para resultados do que para pessoas — sugeriu o jovem.
— Não! — disse assertivamente o gerente, surpreendendo o visitante. — Ouço muito falar nisso. — Levantou-se e começou a andar de um lado para o outro. — Como, droga, posso conseguir resultados senão através das pessoas? Preocupo-me tanto com pessoas como com resultados. Eles andam de mãos dadas. Jovem, veja isto — disse o gerente, mostrando-lhe uma placa. — Conservo-a em minha mesa para me lembrar de uma verdade prática.

*

*Pessoas Satisfeitas
Consigo Mesmas*

*Produzem
Bons Resultados*

*

Enquanto o jovem lia a placa, o gerente disse:
— Pense em você mesmo. Quando é que você trabalha melhor? Quando se sente bem consigo mesmo? Ou quando não se sente?

O jovem inclinou a cabeça, começando a perceber o óbvio.

— Realizo mais quando me sinto satisfeito comigo mesmo — reconheceu.

— Claro que realiza — concordou o gerente. — E o mesmo acontece com todas as pessoas.

O jovem estalou o dedo ao lhe ocorrer uma nova idéia:

— Assim — disse ele —, ajudar as pessoas a se sentirem satisfeitas consigo mesmas constitui a chave para obter mais resultados?

— Exatamente — concordou o gerente. — Contudo, lembre-se de que produtividade é mais do que apenas a *quantidade* de trabalho realizado. É também *qualidade*. — Foi até a janela e disse: — Venha até aqui, jovem. — Apontou para o tráfego lá embaixo e perguntou: — Está vendo quantos carros importados há nas ruas?

O jovem olhou para o mundo real, lá fora, e respondeu:

— A cada dia que passa, vejo mais carros importados. Acho que isso acontece por que são mais econômicos e duram mais.

O gerente, relutante, concordou:

— Exatamente. Por que você acha que as pessoas estão comprando carros importados? Porque os nossos fabricantes não os produzem em número *suficiente*? Ou será porque não fabricam o carro com a *qualidade* que o público realmente quer?

— Na verdade — retrucou o jovem — trata-se tanto de uma questão de *qualidade* como de *quantidade*.

— Claro — concordou o gerente e acrescentou: — Qualidade significa simplesmente dar às pessoas o produto ou serviço de que elas realmente precisam e querem.

O gerente permaneceu à janela envolto em seus pensamentos. Lembrava-se bem do tempo, não tão distante, em que seu país fornecia a tecnologia que ajudou a reconstruir a Europa e a Ásia. Deixava-o ainda perplexo o fato de seu país ter-se atrasado tanto no tocante à produtividade.

O jovem interrompeu a concentração do gerente:

— Lembro-me de um comercial que vi na televisão — disse espontaneamente — que mostrava um carro importado e dizia: *Se vai tomar um empréstimo a longo prazo para comprar um carro, não compre um carro de curto prazo.*

O gerente voltou-se e disse em voz tranqüila:

— Infelizmente, isso resume bem a situação. E esse é o ponto crucial. Produtividade é tanto quantidade como qualidade. — O gerente e o visitante voltaram para o sofá — E, para ser franco, a melhor maneira de obter esses resultados é através das pessoas.

O interesse do jovem aumentou. Ao sentar-se, perguntou:

— Bem, o senhor já disse que não é um gerente participativo. Então como é que o senhor descreveria a si mesmo?

— Isso é fácil — retrucou o gerente sem hesitar. — Eu sou um Gerente-Minuto.

Estampou-se a surpresa no rosto do jovem. Jamais ouvira falar num Gerente-Minuto.

— O senhor é o quê?

O gerente riu e respondeu:

— Sou um Gerente-Minuto. É assim que chamo a mim mesmo porque preciso de muito pouco tempo para conseguir das pessoas grandes resultados.

Embora houvesse conversado com numerosos gerentes, o jovem jamais ouvira palavras como essas. Era difícil de acreditar. Um Gerente-Minuto — uma pessoa que obtém bons resultados sem precisar de muito tempo.

Vendo a dúvida desenhada no rosto do jovem, o gerente perguntou:

— Você não acredita em mim, certo? Não acredita que sou um Gerente-Minuto.

— Sou obrigado a dizer que para mim é bem difícil imaginar como é isso — retrucou o jovem.

O gerente riu e continuou:

— Escute aqui, é melhor você conversar com meu pessoal, se quer realmente saber que tipo de gerente sou.

Inclinou-se e falou pelo interfone. Momentos depois, entrou sua secretária, Sra. Metcalfe, que entregou ao jovem uma folha de papel.

— Aí estão os nomes, cargos e números de telefone das seis pessoas que trabalham comigo — explicou o Gerente-Minuto.

— Com qual falo primeiro? — perguntou o jovem.

— Isso cabe a você decidir — disse o gerente. — Escolha qualquer nome. Fale com uma dessas pessoas ou com todas elas.

— Bem, o que quero dizer é: por qual delas devo começar?

— Eu já lhe disse. Não tomo decisões por outras pessoas — redargüiu firme o gerente. — Tome, você mesmo, a decisão. — Levantou-se e levou o jovem até a porta. — Você já me pediu não uma, mas duas vezes, para tomar uma decisão simples que cabe a você. Para ser franco, jovem, não gosto disso. Já lhe disse. Escolha um nome e comece, ou procure outro lugar para fazer sua busca de um gerente eficaz.

O visitante sentiu-se atordoado. Estava constrangido, muito pouco à vontade. Um momento de embaraçoso silêncio pareceu uma eternidade.

Daí, o Gerente-Minuto encarou o jovem olho no olho e disse:

— Você quer saber como se gerencia pessoas e eu admiro isso. — Apertou-lhe a mão. — Se tiver qualquer dúvida depois de conversar com meu pessoal — acrescentou cordialmente —, volte a me procurar. Aprecio seu interesse e desejo de aprender a gerenciar. Eu gostaria, na verdade, de lhe dar como presente o conceito de Gerente-Minuto. Alguém um dia o deu a mim e isto fez uma enorme diferença para mim. Quero que o compreenda bem. Se quiser, você mesmo pode tornar-se, um dia, um Gerente-Minuto.

— Obrigado — conseguiu dizer o jovem.

Deixou o gabinete do gerente, um tanto confuso. No momento em que passava pela secretária, ela lhe disse em tom de compreensão:

— Pelo seu jeito, acho que você já experimentou nosso Gerente-Minuto.

Procurando ainda entender bem a coisa, o jovem respondeu lentamente:

— Para dizer a verdade, acho que sim.

— Talvez eu possa ajudá-lo — disse a Sra. Metcalfe. — Telefonei para essas seis pessoas que trabalham com ele. Cinco estão no escritório e todas concordaram em conversar com você. É bem possível que compreenda melhor nosso "Gerente-Minuto" depois de ter conversado com elas.

O jovem agradeceu, examinou a lista e resolveu conversar com três delas: Sr. Trenell, Sr. Levy e Sra. Brown.

AO chegar à sala do Sr. Trenell, o jovem encontrou sorridente, à sua espera, um homem de meia-idade.

— Bem, então você esteve conversando com o "velho", hem? É um cara que impressiona, não?

— Pelo menos parece — respondeu o jovem.

— Ele lhe disse que é um Gerente-Minuto?

— Claro que disse. Mas aquilo não é verdade, é? — perguntou o jovem.

— Pode acreditar que é. Eu raramente falo com ele.

— Quer dizer, nunca recebe qualquer ajuda dele? — perguntou perplexo o jovem.

— Basicamente, muito pouca, embora ele, de fato, passe algum tempo comigo, no começo de uma nova tarefa ou responsabilidade. É nessa ocasião que ele realiza o Estabelecimento de Objetivos-Minuto.

— Estabelecimento de Objetivos-Minuto? — perguntou o jovem. — Ele me disse que era um Gerente-Minuto, mas não falou coisa alguma sobre o Estabelecimento de Objetivos-Minuto.

— Esse é o primeiro dos três segredos do Gerente-Minuto — explicou Trenell.

— Três segredos? — perguntou o jovem, querendo saber mais.

— Isso mesmo — confirmou Trenell. — O Estabelecimento de Objetivos-Minuto é o primeiro segredo e o alicerce da Gerência-Minuto. Sabe duma coisa, na maioria das empresas, quando você pergunta às pessoas o que elas fazem e daí faz a mesma pergunta aos seus chefes, você obtém duas listas de respostas diferentes. Na verdade, em algumas empresas em que trabalhei, se aquilo que eu pensava serem minhas responsabilidades fosse o mesmo que o meu chefe pensava, isso era pura coincidência. Depois eu me metia numa enrascada por não ter feito o que eu nem mesmo sabia que era minha função.

— Por acaso, isso acontece aqui? — perguntou o jovem.

— Não! — exclamou Trenell. — Jamais acontece aqui. O Gerente-Minuto sempre deixa claro quais são nossas responsabilidades e como será medido o nosso desempenho.

— Como é que ele faz isso? — quis saber o jovem.

— Eficientemente — respondeu Trenell, com um sorriso. E começou a explicar:

"Logo que ele me diz o que precisa ser feito, ou concordamos sobre o que precisa ser feito, os objetivos são anotados em não mais do que uma folha de papel. O Gerente-Minuto acha que um objetivo e os respectivos padrões de desempenho não precisam ser expressos em mais do que 250 palavras. Ele fica com uma cópia e eu com outra, de modo que tudo fica bem claro e podemos periodicamente verificar o progresso conseguido.

— Há dessas definições de página única para cada objetivo?

— Sim — respondeu Trenell.

— Bem, então cada um por aqui deve ter um calhamaço de definições de página única!

— Na realidade, não — insistiu Trenell. — O velho acredita na regra de estabelecimento de objetivos de 80-20. Isto é, 80% dos resultados realmente importantes provêm de 20% dos objetivos. Deste modo, estabelecemos Objetivos-Minuto somente quanto a esses 20%, que compreendem nossas principais áreas de responsabilidade: no total, de três a seis objetivos. Caso surja um projeto especial, criamos um específico Objetivo-Minuto.

— Interessante — comentou o jovem. — Acho que entendo a importância do Estabelecimento de Objetivos-Minuto. Parece uma espécie de filosofia de "nada de surpresas", onde cada pessoa sabe desde o começo o que se espera dela.
— Exatamente — concordou Trenell.
— Neste caso, o Estabelecimento de Objetivos-Minuto significa apenas que a pessoa deve compreender quais são suas responsabilidades? — perguntou o jovem.
— Não. Assim que ficamos sabendo o que devemos fazer, o gerente certifica-se de que saibamos também o que ele considera ser um bom desempenho. Em outras palavras os padrões de desempenho ficam claros. Ele nos mostra o que espera de nós.
— Como é que ele mostra o que espera? — perguntou o jovem.
— Vou dar-lhe um exemplo — disse Trenell.

— Um de meus Objetivos-Minuto era o seguinte: Identificar problemas de desempenho e apresentar soluções que, quando implementadas, revertessem a situação. Logo que comecei a trabalhar aqui, descobri um problema que precisava ser solucionado, mas não sabia o que fazer. Telefonei, portanto, para o Gerente-Minuto. Quando ele atendeu, eu disse:
"— *Senhor, estou com um problema.*

"Antes que eu pudesse dizer mais uma única palavra ele respondeu:
"— *Ótimo! Foi por isso que o contratamos.*

"E seguiu-se um silêncio mortal do outro lado do telefone. Eu não sabia o que fazer de tão impactante que era o silêncio. Finalmente, consegui gaguejar:
"— *Mas, mas, senhor, não sei como resolver este problema.*

"— Trenell — disse ele —, *um de seus objetivos para o futuro será identificar e solucionar seus próprios problemas. Mas, como você é novo aqui, suba e vamos conversar.*

"Quando cheguei lá, ele disse:
"— *Diga-me, Trenell, qual é o seu problema... mas em termos de comportamento.*

"— *Termos de comportamento?* — repeti. — *O que é que o senhor quer dizer com termos de comportamento?*

"— *Quero dizer* — explicou o gerente — *que não desejo ouvir somente algo a respeito de atitudes ou sentimentos. Conte o que é que está acontecendo em termos observáveis, mensuráveis.*

"Descrevi o problema da melhor forma que pude. Aí ele respondeu:

"— *Muito bem, Trenell! Agora, diga o que gostaria que estivesse acontecendo, em termos de comportamento.*

"— *Não sei* — respondi.

"— *Neste caso, não desperdice meu tempo* — retrucou ele.

"Durante alguns segundos, fiquei simplesmente paralisado. Não sabia o que fazer. Mas, bondosamente, ele quebrou o silêncio:

"— *Se não pode me dizer o que gostaria que estivesse acontecendo, então você não tem ainda um problema. Está apenas se queixando. Só existe um problema quando há uma diferença entre o que está* <u>realmente</u> *acontecendo e aquilo que você* <u>desejaria</u> *que estivesse acontecendo.*

"Bem, sendo um cara que aprende depressa, me apercebi, de repente, de que sabia o que eu queria que estivesse acontecendo. Depois que lhe contei, ele pediu-me que dissesse o que poderia ter ocasionado a discrepância entre o real e o desejado. Após minha explicação, o Gerente-Minuto perguntou:

"— *Bem, o que é que você vai fazer a esse respeito?*

"— *Bem, eu podia fazer A* — eu disse.
"— *Se fizesse A, aconteceria realmente o que quer que aconteça?* — perguntou ele.
"— *Não* — respondi.
"— *Neste caso, sua solução não satisfaz. O que mais poderia você fazer?* — perguntou ele.
"— *Eu poderia fazer B* — retruquei.
"— *Mas se fizer B, acontecerá realmente o que você quer que aconteça?* — voltou ele a perguntar.
"— *Não* — compreendi de repente.
"— *Neste caso, é também uma solução má* — disse ele. — *O que mais pode fazer?*
"Pensei durante uns dois minutos e disse:
"— *Eu poderia fazer C. Mas se fizer C, o que quero que aconteça não acontecerá tampouco, de modo que essa é uma boa solução, certo?*
"— *Certo. Você está começando a compreender* — disse o gerente com um sorriso. — *Há mais alguma coisa que você possa fazer?*

"— *Talvez eu possa combinar algumas dessas soluções* — sugeri.
"— *Parece que vale a pena tentar isso* — reagiu ele.
"— *Para dizer a verdade, se eu fizer A esta semana, B, na próxima e C dentro de duas semanas, o problema fica resolvido. Isto é fantástico. Muito obrigado. O senhor resolveu o problema para mim.*
"Ele ficou muito aborrecido.
"— *Não resolvi* — interrompeu-me —, *você mesmo o resolveu. Eu simplesmente lhe fiz algumas perguntas, perguntas que você pode fazer a si mesmo. Agora ao sair daqui comece a resolver seus próprios problemas utilizando seu tempo, não o meu.*

"Claro, eu sabia o que ele tinha feito. Mostrara-me como resolver problemas, de modo que eu mesmo pudesse fazer isso no futuro. Depois, ele se levantou, olhou-me "olho no olho" e disse:

"— *Você é competente, Trenell. Lembre-se disto na próxima vez em que tiver um problema.*

"Lembro-me que saí sorrindo da sala dele.

Trenell recostou-se na cadeira e era como se estivesse revivendo seu primeiro contato com o Gerente-Minuto.

Refletindo no que acabara de ouvir, o jovem começou a falar a si mesmo:

— Portanto...

O Estabelecimento de Objetivos-Minuto consiste simplesmente em:
1. Concordar sobre seus objetivos.
2. Definir o que será considerado bom comportamento/desempenho.
3. Escrever os objetivos numa única folha de papel, utilizando menos de 250 palavras.
4. Ler e reler cada um dos objetivos, o que requer em torno de um minuto cada vez que se fizer isso.
5. Reservar um minuto todos os dias para rever o desempenho; e
6. Verificar se o seu comportamento combina ou não com seus objetivos.

— É isso mesmo! — exclamou Trenell. — Vejo que você aprende depressa.

— Obrigado — reconheceu o jovem, sentindo-se satisfeito consigo mesmo. — Mas preciso anotar isso — acrescentou. — Quero lembrar sempre disso. — Depois de suas anotações numa pequena agenda azul que trazia consigo, o jovem inclinou-se para a frente e perguntou: — Se o Estabelecimento de Objetivos-Minuto é o primeiro segredo para quem quer tornar-se um Gerente-Minuto, quais são os outros dois?

Trenell sorriu, consultou o relógio e respondeu:

— Por que não pergunta isso a Levy? Você tem uma entrevista marcada com ele esta manhã, não?

O jovem ficou espantado. Como Trenell sabia disso?

— Tenho, sim — respondeu, levantando-se e apertando a mão de Trenell. — Muito obrigado pelo tempo que o senhor me concedeu.

— Não há de quê — respondeu Trenell. — O tempo é a única coisa de que disponho bastante agora. Como você provavelmente deve ter notado, eu mesmo estou me transformando num Gerente-Minuto.

DEIXANDO o escritório de Trenell, o jovem sentiu-se impressionado pela simplicidade do que acabara de ouvir. Pensou: O que ouvi certamente faz sentido. Afinal de contas, de que modo pode um indivíduo ser um gerente eficaz, a menos que ele e seus subordinados saibam o que se requer de cada um? E que maneira eficiente de obter isso!

O jovem seguiu pelo corredor do prédio e tomou o elevador para o segundo andar. Ao chegar ao escritório do Sr. Levy, surpreendeu-se ao notar como ele era jovem, algo em torno dos 30 anos.

— Bem, você esteve como o "velho". Ele é um cara e tanto, não é?

O jovem já estava ficando acostumado a ouvir que o velho era "um cara e tanto".

— Acho que é — concordou.

— Ele lhe disse que é um Gerente-Minuto? — perguntou Levy.

— Certamente que sim. Mas isso não é bem assim, ou é? — perguntou na expectativa de obter de Levy uma resposta diferente da que lhe fora dada por Trenell.

— É melhor acreditar que é. Eu raramente o vejo.

— Quer dizer, você nunca recebe qualquer ajuda dele? — quis saber o jovem.

— Basicamente, muito pouca, embora ele, de fato, passe muito tempo comigo no início de uma nova tarefa ou responsabilidade.

— Sim, já fiquei sabendo do Estabelecimento de Objetivos-Minuto — interrompeu-o o jovem.

— Na verdade, eu não estava pensando em Estabelecimento de Objetivos-Minuto. Refiro-me aos Elogios-Minuto.
— Elogios-Minuto? — repetiu o jovem. — Será que são o segundo segredo para se tornar um Gerente-Minuto?
— Sim, são — confirmou Levy. — Para ser franco, quando comecei a trabalhar aqui, o Gerente-Minuto deixou bem claro o que ele faria.
— E o que era? — perguntou o visitante.
— Ele disse que seria mais fácil me sair bem, se eu recebesse *feedback* dele sobre meu desempenho, de forma totalmente transparente.
— Disse-me que queria que eu tivesse sucesso. Queria que eu fosse uma grande contribuição para a empresa e que gostasse do meu trabalho. E disse-me que faria de tudo para que eu soubesse, *em termos inequívocos,* quando estivesse me saindo bem ou abaixo da média. E depois me avisou que, no princípio, isto talvez não fosse muito agradável para nenhum de nós dois.
— Por quê? — indagou o visitante.
— Porque, como me disse na ocasião, a maioria dos gerentes não age assim e as pessoas não estão acostumadas com isso. Depois, garantiu-me que esse *feedback* seria de grande utilidade para mim.
— Você poderia me dar um exemplo do que está dizendo? — solicitou o jovem.

— Claro — concordou Levy. — Assim que comecei a trabalhar aqui, notei que, uma vez feito comigo o Estabelecimento de Objetivos-Minuto, ele mantinha estreito contato comigo.

— O que é que quer dizer com "estreito contato"? — perguntou o jovem.

— Ele fazia isso de duas maneiras — explicou Levy. — Primeiro, observava bem de perto minhas atividades. Parecia nunca estar muito longe de mim. Segundo, fez com que eu mantivesse um registro detalhado do meu progresso, e insistiu que eu lhe enviasse uma cópia.

— Isso é interessante — concordou o jovem. — Por que ele pediu isso?

— No início, pensei que ele estava me espionando e que não confiava em mim. Isto é, até que descobri, com outros de seus subordinados, o que ele realmente fazia.

— E o que era? — quis saber o jovem.

— Tentava me flagrar fazendo alguma coisa certa — disse Levy.

— Flagrá-lo fazendo alguma coisa certa? — quis saber o jovem.

— Isto mesmo — disse Levy. — Temos aqui um lema que diz:

*

*Ajude as Pessoas a
Alcançarem Seu Pleno
Potencial*

*Flagre-as Fazendo Alguma
Coisa Certa*

*

E Levy continuou:
— Na maioria das empresas, os gerentes passam a maior parte do tempo "flagrando" as pessoas quando elas fazem o quê? — perguntou.
O jovem sorriu e disse:
— Alguma coisa errada.
— Isso mesmo! — exclamou Levy. — Aqui, pomos a ênfase no positivo. "Flagramos" pessoas fazendo alguma coisa *certa*.
O jovem tomou algumas notas em sua agenda e, em seguida, perguntou:
— O que acontece, Levy, quando o Gerente-Minuto flagra a pessoa fazendo a coisa certa?
— Aí, ele dá um Elogio-Minuto — explicou Levy com satisfação.

— O que é que isso quer dizer? — O jovem queria saber.

— Bem, quando ele nota que você fez alguma coisa certa, aproxima-se e estabelece contato. Isto com freqüência inclui pôr a mão no seu ombro ou tocá-lo ligeiramente, de maneira cordial.

— Você não se incomoda — perguntou o jovem — quando ele o toca?

— Não! — exclamou enfático Levy. — Pelo contrário, ajuda. Sei que ele realmente se importa comigo e quer que eu progrida. Ou como ele diz: "Quanto mais certeza tiverem de que estão sendo bem-sucedidos, mais vocês subirão na empresa."

"Quando ele me contata, isso ocorre rápido, mas eu sei, uma vez mais, que estamos do mesmo lado. De qualquer modo — continuou Levy — depois disso, ele me encara "olho no olho" e diz exatamente o que foi que eu fiz certo. E também como se sente satisfeito pelo que consegui realizar.

— Nunca ouvi falar de um gerente fazer uma coisa dessas — comentou o jovem. — Isso deve fazer a pessoa sentir-se muito bem.

— Certamente que faz — confirmou Levy — e por diversas razões. Em primeiro lugar, recebo um elogio assim que faço alguma coisa certa. — Sorriu e virou-se para o visitante. Depois riu, e disse: — Não tenho que esperar pela avaliação anual de desempenho, se entende o que quero dizer. — Sorriram ambos.

— Em segundo lugar — prosseguiu Levy — ele diz exatamente o que foi que fiz certo. Sei que ele é sincero porque conhece bem o que estou fazendo. Em terceiro, ele é coerente.

— Coerente? — repetiu o jovem, curioso por mais detalhes.

— Isso mesmo — confirmou Levy. — Ele me elogia se estou me conduzindo bem e mereço o elogio mesmo que, em outros setores, a coisa não esteja correndo bem para ele. Sei que ele pode estar aborrecido com outros assuntos. Mas reage à situação em que *EU* me encontro, e não àquela em que *ELE* se encontra na ocasião. E eu realmente aprecio isso.

— Esses elogios todos não tomam muito tempo do gerente? — perguntou o jovem.

— Na realidade, não — explicou Levy. — Lembre-se de que não temos que elogiar uma pessoa por muito tempo para ela saber que é notada e nos importamos com ela. Isso geralmente leva menos de um minuto.

— Então é por isso que o segredo é chamado de Elogio-Minuto — disse o visitante, anotando o que acabara de ouvir.

— Exatamente — confirmou Levy.

— Ele anda sempre procurando flagrá-lo fazendo alguma coisa certa? — perguntou o jovem.

— Não, claro que não — respondeu Levy. — Só quando alguém começa a trabalhar aqui, inicia um novo projeto ou aceita nova responsabilidade, é que ele faz isso. Depois que a gente pega o jeito, ele não aparece tanto.
— Por quê? — indagou o jovem.
— Porque tanto a pessoa como ele dispõem de outras maneiras de saber quando o desempenho é "merecedor de elogios". Ambos verificam os dados fornecidos pelo sistema de informações, tais como estatísticas de vendas, despesas, programação de produção, e assim por diante. Depois de certo tempo — continuou Levy — a pessoa começa a "flagrar-se" fazendo coisas certas e começa, ela mesma, a elogiar-se. Além disso, a pessoa fica sempre na expectativa do próximo elogio e isto parece que a mantém no rumo certo, mesmo quando ele não está por perto. É incrível. Nunca antes trabalhei com tanto empenho num emprego.
— O que está-me dizendo é realmente interessante — comentou o jovem. — Então, o Elogio-Minuto constitui um dos segredos para quem quer ser um Gerente-Minuto?
— De fato, é — confirmou Levy com um brilho nos olhos. Agradava-lhe observar alguém aprendendo os segredos da Gerência-Minuto.
Olhando as notas, o visitante fez uma rápida revisão do que aprendera sobre o Elogio-Minuto.

O Elogio-Minuto produz resultados quando você:
1. Diz à pessoa, *com antecedência*, que vai informá-la sobre como ela está-se saindo.
2. Elogia imediatamente a pessoa.
3. Diz a essa pessoa o que ela fez certo — e de modo específico.
4. Diz a ela o quanto você ficou satisfeito com o que ela fez certo e como isto ajuda à empresa e às outras pessoas que nela trabalham.
5. Faz uma pausa, para permitir que elas realmente *"sintam"* o quanto você se sente satisfeito.
6. Encoraja-as a continuar procedendo assim.
7. Dá um aperto de mão ou um toque no ombro de modo a deixar claro que você apóia o sucesso delas na empresa.

— E qual é o terceiro segredo? — perguntou, ansioso, o jovem.

Levy riu com o entusiasmo do visitante, levantou-se e disse:

— Por que não pergunta isso à Sra. Brown? Sei que você também planejou conversar com ela.

— Sim, de fato — admitiu o jovem. — Bem, muito obrigado pelo tempo que me dedicou.

— Tudo bem — insistiu Levy. — Tempo é um elemento de que disponho bastante... Compreenda, eu mesmo sou agora um Gerente-Minuto.

O visitante sorriu. Já ouvira isso antes em algum lugar.

Queria refletir sobre o que estava aprendendo. Deixou o edifício e foi caminhar entre as árvores próximas. Mais uma vez ficou impressionado com a simplicidade e bom senso do que ouvira. Como é possível questionar a eficácia de "flagrar" alguém fazendo coisas certas, pensou, especialmente se ela *sabe* o que fazer e o que é considerado bom desempenho?

Mas será que o Elogio-Minuto funciona, realmente?, ele se perguntou. Será que realmente produz resultados, resultados práticos?

O Segundo Segredo: Elogios-Minuto/45

Enquanto passeava, aumentou sua curiosidade sobre o tema resultados. Voltou, em vista disso, a procurar a secretária do Gerente-Minuto e pediu à Sra. Metcalfe que remarcasse para a manhã do dia seguinte, seu encontro com a Sra. Brown.
— Amanhã pela manhã será ótimo — disse a secretária, após desligar o telefone. — A Sra. Brown disse que o senhor pode procurá-la a qualquer momento, exceto na quarta-feira pela manhã.
Em seguida, ela telefonou para o centro da cidade e marcou o novo encontro solicitado. Ele deveria procurar a Sra. Gomez, funcionária da matriz da empresa.
— Lá o senhor encontrará informações sobre todas as diferentes fábricas e unidades de toda a companhia — disse a Sra. Metcalfe, com segurança. — Tenho certeza de que o senhor obterá todos os dados que procura.
O jovem agradeceu e foi embora.

DEPOIS do almoço, o jovem seguiu para o centro da cidade. Reuniu-se com a Sra. Gomez, uma mulher de quarenta e poucos anos e aparência competente. Indo direto ao assunto, o jovem perguntou:

— A senhora poderia, por favor, dizer qual dentre todas as operações da companhia no país é a mais eficiente e mais eficaz. Eu gostaria de compará-la com a do chamado "Gerente-Minuto".

Logo depois, ria ao ouvir a Sra. Gomez responder:

— Bem, o senhor não tem que procurar muito, porque é a do Gerente-Minuto. Ele é um tipo fora de série, não? A unidade que ele dirige é a mais eficiente e eficaz dentre todas as nossas fábricas.

— Isso é inacreditável! — exclamou o jovem. — Será que ele tem o melhor equipamento?
— Não — respondeu a Sra. Gomez. — Na verdade, ele trabalha com alguns dos mais antigos.
— Bem, nisso tudo tem que haver algo errado — comentou o jovem, perplexo ainda com o estilo do homem. — Diga-me uma coisa, ele perde muita gente? A rotatividade é alta por lá?
— Pensando bem — disse a Sra. Gomez —, de fato, a rotatividade de pessoal é alta.
— Ah! — exclamou o jovem, pensando que estava descobrindo algo importante.

— O que é que acontece com essas pessoas, quando deixam o Gerente-Minuto? — quis saber.

— Nós oferecemos a elas sua própria unidade operacional — respondeu imediatamente a Sra. Gomez. — Depois de dois anos trabalhando com ele, perguntam: "Quem é que precisa de um gerente?" Ele é o nosso melhor treinador. Sempre que surge uma vaga e necessitamos de um bom gerente, nós o chamamos. Ele sempre tem alguém pronto.

Espantado, o jovem agradeceu a Sra. Gomez pelo tempo que lhe dedicara — embora, desta vez, obtivesse uma resposta diferente.

— Foi ótimo tê-lo recebido hoje — disse ela. — O resto de minha semana está realmente todo tomado. Eu gostaria de saber quais são os segredos do Gerente-Minuto. Ando querendo ir procurá-lo, mas simplesmente não arranjo tempo.

Sorrindo, o jovem prometeu:

— Eu lhe darei esses segredos, de presente, logo que eu mesmo os descobrir. Exatamente como ele está-me presenteando.

— Isso seria um presente precioso — disse com outro sorriso à Sra. Gomez. Olhou em volta para o escritório atravancado e disse: — Eu poderia usar toda a ajuda que pudesse conseguir.

O jovem deixou o escritório da Sra. Gomez e saiu pela rua, abanando a cabeça. O Gerente-Minuto era, para ele, absolutamente fascinante.

Naquela noite, o jovem dormiu mal. Estava ansioso pelo dia seguinte, que iria permitir-lhe aprender o terceiro segredo para se transformar num Gerente-Minuto.

NA manhã seguinte, chegou ao escritório da Sra. Brown às 9:00 em ponto. Recebeu-o uma senhora muito bem-vestida, de uns 50 anos. Ouviu as palavras habituais: "Ele é um tipo fora do comum, não?", mas a essa altura, estava chegando a um ponto em que, com toda sinceridade, poderia dizer: "De fato, ele é!"

— Ele lhe falou sobre o que é ser um Gerente-Minuto? — perguntou a Sra. Brown.

— Isso é o que venho ouvindo sem parar — respondeu rindo o jovem. — Mas não é verdade, é? — indagou, ainda tentando ouvir uma resposta diferente.

— É melhor acreditar que é. Eu raramente o vejo.

— Quer dizer, a senhora não tem muito contato com ele — insistiu o jovem — além das reuniões semanais habituais?

— Basicamente muito pouco. Exceto, claro, quando faço algo errado — explicou a Sra. Brown.

Chocado, o jovem perguntou:
— A senhora está realmente dizendo que só o vê quando faz algo errado?
— Não, não é bem assim — retrucou a Sra. Brown —, mas quase.
— Mas eu pensei que o principal lema aqui fosse "flagrar" a pessoa fazendo alguma coisa certa.
— E é — confirmou a Sra. Brown. — Mas o senhor precisa saber algumas coisas a meu respeito.
— O quê? — perguntou o jovem.
— Trabalho aqui há mais de 25 anos. Conheço esta empresa por dentro e por fora. Por isso mesmo, o Gerente-Minuto não tem que passar muito tempo comigo para realizarmos o estabelecimento de objetivos. Na verdade, eu mesma costumo estabelecer meus objetivos e depois os envio a ele.
— Cada objetivo numa folha separada de papel? — indagou o jovem.
— Com certeza. Não mais de 250 palavras e cada um deles exige de mim ou do Gerente-Minuto apenas um minuto para ler. Outra coisa importante

a meu respeito é que adoro meu trabalho. Por isso mesmo dou a mim mesma a maioria dos Elogios-Minuto. Para dizer a verdade, acredito que se você mesmo não se valorizar, quem o fará? Um amigo meu ensinou-me um lema do qual nunca me esqueço: "Se não tocar sua corneta, alguém vai usá-la como escarradeira."

O jovem sorriu. Gostou do senso de humor de sua interlocutora.

— O gerente a elogia algumas vezes? — perguntou.

— Às vezes, mas não tem que fazer isso com freqüência porque eu me antecipo a ele — respondeu a Sra. Brown. — Quando faço alguma coisa especialmente bem, eu mesma posso pedir um elogio ao Gerente-Minuto.

— E a senhora tem coragem de fazer isso? — espantou-se o jovem.

— É fácil. É como fazer uma aposta, em que posso ganhar ou empatar. Se ele me elogia, ganho.

— E se ele não elogiar? — perguntou o jovem.

— Nesse caso, empato — respondeu a Sra. Brown. — Não o tinha antes de pedir.

O jovem sorriu enquanto anotava a filosofia da Sra. Brown. Em seguida, disse:

— A senhora me disse há pouco que ele a procura quando a senhora faz alguma coisa errada. O que quer dizer com isso?

— Se cometo um erro sério, essa é a ocasião em que, sem exceção, recebo uma Repreensão-Minuto — explicou a Sra. Brown.

— Uma o quê? — indagou espantado o jovem.

— Uma Repreensão-Minuto — repetiu a Sra. Brown. — Este é o terceiro segredo para quem quer tornar-se um Gerente-Minuto.
— Como é que funciona? — perguntou perplexo o jovem.
— É simples... — retrucou a Sra. Brown.
— Eu já imaginava que ia dizer isso — comentou o jovem.
A Sra. Brown riu também e explicou:
— Se a pessoa vem realizando bem um trabalho e sabe como fazê-lo bem, e comete um erro, o Gerente-Minuto reage prontamente.
— O que é que ele faz? — perguntou o jovem.
— Logo que descobre o erro, ele me procura. Em primeiro lugar, confirma os fatos. Em seguida, põe a mão no meu ombro ou, talvez, dá a volta à mesa e fica ao meu lado.
— E isso não a incomoda?
— Claro que sim, especialmente porque sei o que está vindo pela frente e, sobretudo, porque ele não está sorrindo. Ele me olha nos olhos — continuou ela — e diz exatamente o que foi que fiz de errado. Depois, mostra-me como se sente a respeito do fato, se está zangado, aborrecido, frustrado ou seja lá o que for.

— Quanto tempo dura isso? — perguntou o jovem.

— Apenas uns 30 segundos, mas, às vezes, parece-me que dura para sempre — confidenciou a Sra. Brown.

O visitante não pôde deixar de lembrar-se do que sentira quando o Gerente-Minuto lhe dissera, "sem qualquer rodeio", como estava aborrecido com sua indecisão.

— E, depois, o que é que acontece? — indagou o jovem, sentando-se bem na beira da cadeira.

— Ele deixa que sua mensagem penetre durante alguns segundos de silêncio... e como penetra!

— E depois?

— Ele me olha bem de frente e me diz o quão competente ele acha que eu geralmente sou. Faz com que eu compreenda bem que o único motivo pelo qual está aborrecido comigo é que sente profundo respeito por mim. Deixa claro que o que eu fiz não condiz com meu desempenho. Diz que espera com prazer o momento de me rever, desde que eu compreenda que ele espera que o mesmo tipo de erro não se repita.

O jovem interrompeu-a:

— Isso deve fazê-la pensar duas vezes.

— Certamente que faz — concordou a Sra. Brown com um vigoroso aceno de cabeça.

O jovem sabia sobre o que a Sra. Brown estava falando. Nesse momento, tomava notas com toda rapidez possível. Percebeu que ela não ia precisar de muito tempo para abordar vários assuntos importantes.

— Em primeiro lugar — continuou a Sra. Brown —, ele, em geral, me repreende assim que cometo algum erro. Em segundo, uma vez que especifica exatamente o que foi que fiz de errado, sei que ele "está por dentro" e que não vou me safar. Em terceiro, uma vez que ele não ataca a mim como pessoa, mas apenas ao meu comportamento, torna-se fácil para mim não assumir uma atitude defensiva. Não tento justificar com uma racionalização o meu erro, atribuindo a culpa a ele ou a qualquer outro. Sei que ele está sendo justo. E, em quarto lugar, ele é coerente.

— Significa isso que a repreenderá por ter feito alguma coisa errada, mesmo que o restante para ele esteja tudo bem?

— Exatamente — confirmou ela.

— O processo inteiro, realmente, só leva um minuto? — perguntou o jovem.

— Em geral, sim — disse ela. — E quando acaba, acaba mesmo. Uma Repreensão-Minuto não dura mais do que isso, mas posso lhe garantir que a pessoa não a esquece, e geralmente não comete o mesmo erro duas vezes.

— Acho que entendo o que a senhora está dizendo — observou o jovem. — Lamento dizer que pedi a ele...

— Tomara — interrompeu-o ela — que não lhe tenha pedido que lhe repetisse algo.

O jovem pareceu embaraçado

— Pedi — confessou

— Neste caso, sentiu o que é estar no lado receptor da Repreensão-Minuto — consolou-o ela. — Embora eu espere que, como visitante, tenha recebido uma repreensão bem leve.

— Não sei se a senhora a chamaria de leve — retrucou ele — mas acho que não vou pedir a ele, com muita freqüência, que se repita. Aquilo foi um erro. Mas será que o Gerente-Minuto jamais os comete? Parece quase perfeito demais.

A Sra. Brown começou a rir.

— De modo algum — explicou. — Mas ele, de fato, tem um bom senso de humor. Assim, quando comete um erro, como esquecer a última parte da Repreensão-Minuto, nós lhe chamamos a atenção para o fato e brincamos com ele sobre isso. Isto é, depois que tivemos tempo de nos recuperar da Repreensão-Minuto. Podemos, por exemplo, telefonar para ele depois e dizer-lhe que sabemos que cometemos um erro. E, em seguida, rir e cobrar dele o elogio, a parte que faltou na Repreensão, porque não estamos nos sentindo lá muito bem.

— E o que é que ele faz nessa ocasião? — perguntou o jovem.

— Geralmente, ri e pede desculpas por ter esquecido de reafirmar que sou uma pessoa que ele aprecia.

— Então, vocês riem tanto no que diz respeito a elogios como a repreensões? — disse o jovem.

— Exatamente — confirmou a Sra. Brown. — Compreenda, o Gerente-Minuto ensinou-nos o valor de aprender a rir de nós mesmos quando cometemos um erro. Isto nos ajuda a levar adiante nosso trabalho.

— Mas é sensacional — disse entusiasmado o jovem. — Como foi que vocês aprenderam a fazer isso?

— Foi simples — respondeu a Sra. Brown — vendo o próprio chefe agir assim.

— A senhora quer dizer que o chefe ri de si mesmo quando comete um erro? — espantou-se o jovem.

— Bem, nem sempre — reconheceu a Sra. Brown. — Ele é como a maioria de nós. Às vezes é difícil, mas não raro. E quando ri de si mesmo, isto exerce um efeito positivo sobre todos à sua volta.

— Ele deve ser um homem muito seguro — sugeriu o jovem.

— E é — confirmou a Sra. Brown.

O jovem ficou impressionado. Começava a compreender como era valioso para uma organização um gerente desses.

— Por que é que a senhora acha que as repreensões do Gerente-Minuto são tão eficazes? — perguntou.

— Vou deixar que você mesmo pergunte isso a ele — respondeu a Sra. Brown, erguendo-se da escrivaninha e levando o jovem até a porta.

Quando lhe agradeceu pela cessão de seu tempo, a Sra. Brown sorriu e disse:

— Você sabe qual vai ser minha resposta. — Riram ambos. Ele começava a sentir-se como uma pessoa "da casa", e não como um visitante, o que o fazia sentir-se bem.

Ao chegar ao corredor, deu-se conta de quão pouco tempo permanecera com ela e quantas informações recebera.

Continuou a refletir no que ouvira. Parecia tudo tão simples. Mentalmente, recapitulou o que se deve fazer quando se "flagra" uma pessoa fazendo algo errado.

58/As Repreensões-Minuto: Sumário

A Repreensão-Minuto funciona bem quando você:
1. Diz à pessoa, <u>com antecedência</u>, que vai informá-la sobre como está se saindo, e isto claramente e sem rodeios.

<u>A primeira parte da repreensão:</u>
2. Repreende imediatamente a pessoa.
3. Diz a ela o que fez de errado — especificamente.
4. Informa-a sobre como se sente em relação ao erro — e de modo bem claro.
5. Pára por alguns segundos de silêncio embaraçoso para que ela *sinta* como você se sente.

<u>A segunda metade da repreensão:</u>
6. Aperta a mão da pessoa ou toca-a de uma maneira que a deixe convicta de que está honestamente ao lado dela.
7. Lembra-lhe o quanto a tem em alta conta.
8. Reafirma seu respeito por ela, mas que não gostou de seu desempenho naquela situação.
9. Esteja ciente de que, uma vez terminada a repreensão, o assunto deve ser dado por encerrado.

O jovem talvez não tivesse acreditado na eficácia da Repreensão-Minuto se ele mesmo não houvesse experimentado seus efeitos. Não havia dúvida que se sentiu embaraçado. E não queria recebê-la outra vez.

Sabia porém que, ocasionalmente, todos cometem erros e que era bem possível que, em algum outro dia, viesse a ser repreendido. Mas sabia que, se a repreensão fosse feita pelo Gerente-Minuto, seria justa; seria um comentário sobre seu comportamento e não sobre seu valor como pessoa.

Dirigindo-se para a sala do Gerente-Minuto, continuou a pensar na simplicidade da Gerência-Minuto.

Todos os três segredos faziam sentido: Objetivos-Minuto, Elogios-Minuto, Repreensões-Minuto. Mas por que funcionam?, ele se perguntou. Por que o Gerente-Minuto é o gerente mais produtivo da companhia?

Ao chegar à sala do Gerente-Minuto, a secretária informou-o:
— Pode entrar. Ele andou perguntando quando é que o senhor voltaria a procurá-lo.

Entrando, o jovem notou, mais uma vez, como a sala parecia limpa e desimpedida. O Gerente-Minuto recebeu-o com um sorriso cordial.

— Bem, o que foi que descobriu em suas andanças? — perguntou.

— Muita coisa! — exclamou entusiasmado o rapaz.

— Conte o que foi que descobriu — encorajou-o o gerente.

— Descobri por que o senhor chama a si mesmo de Gerente-Minuto. O senhor estabelece Objetivos-Minuto com seu pessoal para ter certeza de que eles conheçam bem aquilo pelo que são responsáveis, e o que é um bom desempenho. Tenta, em seguida, flagrá-los fazendo alguma coisa certa, de modo que possa dar-lhes o Elogio-Minuto. E, por último, se, possuindo toda a capacidade para agir certo eles não o fazem, o senhor lhes aplica a Repreensão-Minuto.

— O que é que você acha de tudo isso? — perguntou o Gerente-Minuto.

— É impressionante como é simples — respondeu o jovem — mas, ainda assim, funciona... O senhor consegue resultados. Estou convencido de que, com o senhor, o método funciona.

— E funcionará também com você, se estiver disposto a pô-lo em *prática* — assegurou-lhe o gerente.

— Talvez — concordou o jovem —, mas eu estaria mais disposto a pô-lo em prática se pudesse entender um pouco mais *por que* funciona.

— Isso se aplica a todas as pessoas, jovem. Quanto mais compreender por que funciona, mais apto estará para *usá-lo*. Por isso mesmo, é com satisfação que vou-lhe contar o que sei. Por onde quer começar?

— Bem, em primeiro lugar, quando o senhor fala em Gerência-Minuto, isto significa realmente que basta um minuto para realizar todas as suas tarefas como gerente?

— Não, nem sempre. Isto é apenas uma maneira de dizer que ser gerente não é tão complicado como alguns querem fazê-lo crer. E, também, que gerenciar pessoas não consome tanto tempo como pensaria. Assim, quando falo em Gerência-Minuto, é possível que precise de mais de um minuto para cada um dos elementos-chave, como o estabelecimento de objetivos. Trata-se, apenas, de uma expressão simbólica. E, não raro, requer apenas um minuto. Vou-lhe mostrar um dos lembretes que conservo em minha mesa.

O jovem olhou e leu em voz alta:

*

*O Melhor
Minuto
Que Aplico
É Aquele
Que Invisto
Nas Pessoas*

*

— O que é irônico — continuou o gerente — é que a maioria das empresas gaste de 50 a 70% de seus recursos em salários. E, contudo, investe menos de 1% de seu orçamento em treinamento de pessoal. A maior parte delas, na verdade, gasta mais tempo e dinheiro na manutenção de seus prédios e equipamento do que na manutenção e desenvolvimento de pessoal.

— Eu nunca pensei nisso — reconheceu o jovem. — Mas se pessoas produzem resultados, certamente faz sentido investir nelas.

— Exatamente — concordou o gerente. — Como eu gostaria que alguém houvesse investido em mim, logo que comecei a trabalhar!

— O que quer dizer com isso? — perguntou o jovem.

— Bem, na maioria das empresas onde trabalhei antes, eu com freqüência não sabia o que devia fazer. Ninguém se incomodava em me dizer. Se me perguntassem se eu estava fazendo um bom trabalho, eu responderia ou "Não sei" ou "Acho que sim". Se me perguntassem por que pensava assim, responderia: "Ultimamente, não levei bronca do meu chefe" ou "Quem cala consente". Era quase como se minha principal motivação fosse evitar punições.

— Isso é interessante — admitiu o jovem. — Mas não sei se compreendi bem. — Depois, acrescentou, impaciente: — Na verdade, se não se importar, eu gostaria de entender melhor, fazendo algumas perguntas: Gostaria de começar com o Estabelecimento de Objetivos-Minuto. Por que isso funciona tão bem?

— **V**OCÊ quer saber por que os Objetivos-Minuto funcionam — disse o gerente. — Ótimo. — Levantou-se e começou a andar de um lado para o outro, lentamente, pela sala. — Vou-lhe apresentar uma analogia que talvez ajude. Nas várias empresas onde trabalhei estes anos todos, vi um bocado de gente desmotivada. Mas nunca vi uma pessoa desmotivada depois do expediente. Todos parecem motivados para fazer alguma coisa. Certa noite, por exemplo, eu estava jogando boliche quando vi alguns dos "empregados-problema" de minha última empresa. Um deles, um autêntico problema, do qual me lembrava muito bem, pegou a bola, aproximou-se da pista e jogou-a. Logo depois começou a vibrar, gritar, saltar de um lado para o outro. Por que, pensa você, ele ficou tão feliz?

— Porque fez um *strike*. Derrubou todos os pinos.
— Exatamente. Por que será que nem ele nem outras pessoas ficam assim tão animadas no trabalho?

— Porque não sabem onde estão os pinos — sorriu o jovem. — Entendi. Por quanto tempo continuaria uma pessoa a jogar boliche se não houvesse pinos?

— Certo — confirmou o Gerente-Minuto. — Agora pode compreender o que acontece na maioria das empresas. Acredito que a maioria dos gerentes sabe o que quer que seu pessoal faça. Mas simplesmente não se dão ao trabalho de dizer isso às pessoas de uma maneira que elas entendam. Supõem que já deveriam saber. Eu nunca suponho coisa alguma quando se trata de estabelecer objetivos. Quando supomos que as pessoas sabem o que esperamos delas, criamos uma forma ineficaz de boliche. Colocamos os pinos, mas quando o jogador lança a bola, nota que se estendeu um lençol em frente aos pinos. Assim, quando ele lança e a bola passa por baixo do lençol, ouve um barulho, mas não sabe quantos pinos derrubou. Quando lhe perguntamos como se saiu, responde: *"Não sei. Mas me senti bem."*

— É como jogar golfe à noite — prosseguiu o gerente. — Muitos amigos meus desistiram do golfe e quando lhes perguntei o motivo, responderam: "Porque os campos estão sempre cheios demais." Quando sugeri que jogassem à noite, riram porque, disseram, quem é que jogaria golfe sem poder ver os buracos?

"O mesmo acontece ao assistir a partidas de futebol — acrescentou. — Quantas pessoas neste país se sentariam em frente aos seus televisores se não houvesse traves para marcar gols, nem maneira alguma de estabelecer um placar?

— Não tem cabimento! — concordou o jovem.

— Porque, evidentemente, o motivador número um das pessoas é o *feedback* sobre os resultados. Na verdade, temos aqui outra máxima que valeria a pena anotar: O *Feedback* É o Alimento dos Campeões. O *feedback* sobre os resultados nos mantém em atividade. Infelizmente, contudo, quando a maioria dos gerentes compreende que o *feedback* sobre os resultados constitui o motivador número um, eles geralmente criam uma terceira forma de boliche. É assim:

"Quando o jogador se prepara para jogar, os pinos continuam lá, o lençol está em posição, mas há agora no jogo um terceiro elemento — um gerente por trás do lençol. Quando lança a bola, o jogador ouve o barulho dos pinos que caem, e o gerente levanta dois dedos para indicar que ele derrubou dois. Mas, na realidade, é isso o que faz a maioria dos gerentes?

— Não — e o jovem sorriu. — Geralmente dizem que erramos oito.

— Exatamente! — exclamou o Gerente-Minuto. — Uma pergunta que sempre fiz foi por que o gerente não levantava o lençol, de modo que ele e seu subordinado pudessem ver os pinos? Por quê? Porque se aproxima o dia em que ele tem que aplicar a grande tradição americana: A Avaliação de Desempenho.

— Por causa da avaliação de desempenho? Como assim? — espantou-se o jovem.

— Isso mesmo. Eu costumava chamar isso de AETASO, o que quer dizer: "Agora Eu Te Apanho Seu Otário." Esses gerentes não dizem ao pessoal o que esperam deles. Deixam-nos "se virar" e "bam!", caem em cima deles quando não atingem o nível desejado.

— Por que é que o senhor acha que fazem isso? — perguntou o jovem, sabendo muito bem a verdade contida nos comentários do gerente.

— Para mostrar sua competência — retrucou o gerente.

— O que é que o senhor quer dizer com isso de mostrar competência? — espantou-se o jovem.

— O que você acha que seu chefe pensaria de você se classificasse todos os seus subordinados com as notas mais altas da avaliação de desempenho?

— Ele pensaria que sou apenas um "cara legal", que não sabe discriminar um bom desempenho de um desempenho medíocre.

— Exatamente — concordou o gerente. — Na maioria das empresas, a fim de qualificar-se como gerente competente, o chefe tem que "flagrar" algumas pessoas cometendo erros. Precisa de alguns vencedores, alguns perdedores, e o resto mais ou menos na média. Percebe? Temos uma mentalidade de curva de distribuição normal. Lembro-me que, certa vez, quando visitei a escola de meu filho, observei uma professora da quinta série submeter os alunos a uma prova sobre capitais de estados. Quando lhe perguntei por que ela não distribuía alguns mapas pela sala e deixava que os alunos os consultassem, ela respondeu: "Não poderia fazer isso porque todos os alunos tirariam 100." Como se fosse ruim que todos se saíssem bem.

"Lembro-me que li em algum lugar que quando alguém perguntou a Einstein qual era o número do seu telefone ele teve que recorrer à lista telefônica.
— Está brincando — disse rindo o jovem
— Não, não estou. Ele disse que jamais ocupava espaço de sua mente com informações que poderia obter em outro lugar. Bem, se não conhecesse esta história, o que pensaria de alguém que precisa consultar uma lista telefônica para encontrar o número de seu telefone? Você o veria como um vencedor ou um perdedor?
O jovem riu à beça e respondeu:
— Um perdedor completo.
— Certo — respondeu o gerente. — Eu também, mas nós dois nos teríamos enganado, não?
O jovem acenou com a cabeça, concordando.
— É fácil para qualquer um de nós cometer esse erro — disse o gerente. Mostrou em seguida uma placa que mandara fazer. — Leia o que está escrito aí — disse.

*

*Todos São
Vencedores Potenciais*

*Algumas Pessoas
Parecem Perdedoras*

*Não se Deixe
Enganar Pelas
Aparências*

*

— Percebe? — perguntou o gerente. — Na realidade, você conta com apenas três opções como gerente. A primeira pode contratar vencedores. São difíceis de encontrar e custam dinheiro. A segunda, se não puder descobrir um vencedor, é contratar alguém com o potencial de vencedor. Em seguida, treina sistematicamente essa pessoa para se tornar um vencedor. Se não estiver disposto a usar nenhuma das duas primeiras alternativas (e fico muitas vezes espantado com o número de gerentes que não quer pagar o necessário para contratar um vencedor ou investir o tempo necessário a fim de treinar o indivíduo para tornar-se um vencedor), então resta somente a terceira opção: rezar.

O jovem ficou estático e confuso. Pôs de lado sua anotações e a caneta e perguntou:

— Rezar?

O gerente sorriu.

— Isto foi apenas uma tentativa de fazer piada, jovem. Mas, quando se pensa no caso, há muitos gerentes que diariamente rezam suplicando: "Tomara que este cara dê certo."

— Ah! Sei — disse sério o jovem. — Vamos começar com a primeira opção. Se o senhor contrata um vencedor, é realmente fácil ser um Gerente-Minuto, não?

— Certamente que é — respondeu o gerente sorrindo. Estava espantado ao ver como o jovem estava sério, como se a seriedade transformasse a pessoa em melhor gerente. — Com um vencedor, tudo o que tem a fazer é o Estabelecimento de Objetivos-Minuto e, em seguida, deixar que ele toque o barco.

— Soube pela Sra. Brown que, às vezes, o senhor nem mesmo tem que fazer isso com ela — comentou o jovem.

— Ela tem toda a razão — confirmou o gerente. — Ela já esqueceu mais do que a maioria das pessoas por aqui sabe. Mas, no caso de todos, vencedores ou vencedores potenciais, o Estabelecimento de Objetivos-Minuto constitui um instrumento básico para o comportamento produtivo.

— É verdade que, quem quer que faça o Estabelecimento dos Objetivos-Minuto, eles têm que ser descritos numa única folha de papel? — perguntou o jovem.

— Absoluta verdade — confirmou o Gerente-Minuto.

— Por que isso é tão importante?

— Porque, desta maneira, as pessoas podem rever com freqüência seus objetivos e confrontá-los com o seu desempenho.

— Pelo que entendi, o senhor determina que anotem apenas os principais objetivos e responsabilidades, e não todos os aspectos do trabalho de cada um — arriscou o jovem.

— Certo. E isto porque não quero que esta empresa se transforme numa fábrica de papel. Não quero um bocado de papel arquivado por aí e examinado apenas uma vez por ano, quando chega a ocasião do estabelecimento de objetivos para o ano seguinte, ou a hora da avaliação de desempenho, ou coisas assim. Como você provavelmente notou, todos os que trabalham comigo têm por perto uma placa que diz o seguinte. — Mostrou ao visitante sua cópia da placa:

Reserve Um Minuto:

Examine Seus Objetivos

Examine Seu Desempenho

Verifique se o Seu Comportamento Está de Acordo com Seus Objetivos

O jovem ficou espantado. Não tinha visto essa placa em sua visita anterior.

— Nunca vi uma placa dessas — confessou. — É sensacional. Poderia conseguir uma delas?

— Certamente — concordou o gerente. — Vou providenciar isso.

Enquanto anotava algumas das coisas que estava aprendendo, o aspirante a gerente disse, sem erguer a cabeça:

— O senhor sabe, num tempo assim tão curto é difícil aprender tudo o que preciso sobre a Gerência-Minuto. Claro que há mais detalhes que eu gostaria de saber a respeito dos Objetivos-Minuto, por exemplo, mas talvez eu possa aprender isso mais tarde. Poderíamos passar agora aos Elogios-Minuto? — perguntou o jovem, levantando a cabeça.

— Certamente — concordou o Gerente-Minuto. — Você provavelmente está se perguntando por que isso também funciona.

— Claro que estou — respondeu o visitante.

— VEJAMOS alguns exemplos — disse o Gerente-Minuto. — Talvez fique claro para você por que os Elogios-Minuto funcionam tão bem.
— Eu gostaria muito — disse o jovem.
— Vou começar dando o exemplo de um pombo e, em seguida, passarei a falar sobre pessoas — explicou o gerente. — No entanto, lembre-se, jovem, que pessoas não são pombos. As pessoas são mais complicadas. São conscientes, pensam por si mesmas e de modo algum querem ser manipuladas por outra pessoa. Lembre-se disso e respeite esse fato. É a chave da boa gerência.
"Com isso em mente — prosseguiu —, vejamos alguns exemplos simples que nos mostram que todos procuramos aquilo que nos gratifica e evitamos aquilo que nos é desagradável.
"Suponha que temos um pombo não-treinado que queremos que entre numa caixa pelo canto anterior esquerdo, que cruze a caixa até o canto posterior direito e pressione uma alavanca com a pata direita. Suponha ainda que, num ponto não muito distante da entrada, temos uma máquina que solta bolinhas de alimento para recompensar e reforçar o pombo. O que você pensa que acontecerá se colocarmos o pombo na caixa e esperarmos até que ele se dirija ao canto posterior direito e pressione a alavanca com a pata direita antes de lhe darmos alimento? — perguntou o Gerente-Minuto.

— Ele morreria de fome — respondeu o jovem.
— Você tem toda razão. Perderíamos muitos pombos. O pombo vai morrer de fome porque não tem a mínima idéia do que deve fazer. Ora, na verdade não é tão difícil assim treinar o pombo para realizar essa tarefa. Tudo o que temos que fazer é traçar uma linha não muito distante do local onde o pombo entra na caixa. Se o pombo entra e cruza a linha, bang!, a máquina dispara uma bolinha e o pombo é alimentado. Antes de decorrido muito tempo, o pombo corre para aquele lugar, mas não queremos que ele fique ali. Onde é que o queremos?

— No canto posterior direito da caixa — disse o jovem.

— Certo! — confirmou o Gerente-Minuto. — Portanto, depois de algum tempo, você deixa de recompensar o pombo por correr até aquele lugar e traça outra linha não muito distante da primeira, mas na direção do objetivo: o canto posterior direito da caixa. Bem, o pombo corre ao redor do velho lugar e não recebe alimento Logo depois, porém, ele cruza a nova linha e, bang!, a máquina dispara outra vez e ele é alimentado.

"Em seguida você traça outra linha. Mais uma vez, na direção do objetivo, mas não distante demais para dificultar que o pombo chegue a ela. Continuamos a marcar essas linhas cada vez mais perto do canto posterior direito da caixa até que não alimentamos o pombo, a menos que ele toque a alavanca e depois, finalmente, apenas quando a pressiona com a pata direita.

— Por que o senhor estabelece todos esses pequenos objetivos? — indagou o jovem.

— Traçando essas séries de linhas, estabelecemos objetivos que o pombo pode alcançar. *Assim, a chave para treinar pessoas para realizarem novas tarefas é, no princípio, flagrá-las fazendo alguma coisa aproximadamente certa até que, no fim, aprendam a fazê-la exatamente certa.*

"Utilizamos esse conceito o tempo todo com crianças e animais, mas, de algum modo, o esquecemos quando lidamos com gente crescida, com adultos. Por exemplo, em alguns dos Aquários Marinhos que existem nos EUA, geralmente o espetáculo termina com uma grande baleia saltando por cima de uma corda esticada sobre a água. Quando a baleia desce, geralmente dá um banho nas dez primeiras filas.

"As pessoas saem dali murmurando entre si mesmas: 'Mas aquilo foi incrível. Como é que conseguem ensinar uma baleia a fazer uma coisa daquelas?'

"Você acha — perguntou o gerente — que os caras saem mar adentro num barco, esticam uma corda sobre a água e gritam 'Pule, pule!' até que uma baleia salta da água e transpõe a corda? E depois, dizem: 'Ei, vamos contratá-la. Ela é uma verdadeira vencedora.'

— Não — riu o jovem — Mas isso *seria realmente* contratar um vencedor.

Os dois riram juntos, satisfeitos.

— Você tem toda razão — disse o gerente. — Quando a capturaram, a baleia nada sabia sobre pular corda. Assim, quando começaram a treiná-la na grande piscina, onde acha que colocaram a corda?

— No fundo da piscina — respondeu o jovem.

— Claro! — confirmou o gerente. — Todas as vezes que a baleia nadava sobre a corda, o que, aliás, sempre acontecia, era alimentada. Logo depois, subiram um pouco a corda.

"Se nadava por baixo da corda, a baleia não recebia alimento durante o treinamento. Toda a vez que nadava por cima, recebia. Assim, logo depois a baleia começou a nadar sobre a corda o tempo todo. E eles continuaram a subi-la sempre um pouco mais.

— Por que elevaram a corda? — perguntou o jovem.

— Em primeiro lugar — disse o gerente — porque foram claros sobre o objetivo: queriam que a baleia saltasse da água e transpusesse a corda. Em segundo — observou o Gerente-Minuto — o *show* não seria muito interessante se o treinador só dissesse: "Pessoal, a baleia conseguiu novamente." Todos tentando enxergar, e nada acontecendo. Assim, durante certo período de tempo, continuaram a elevar a corda até tirá-la finalmente da água. Agora a grande baleia sabe que, para ser alimentada, tem que saltar parcialmente da água e sobre a corda. Logo que esse objetivo é atingido, pode-se começar a elevar mais, cada vez mais, a corda fora da água.

— Então, é assim que fazem — comentou o jovem. — Bem, compreendo agora que o método funciona com animais, mas não seria um pouco demais usá-lo com pessoas?

— Não, trata-se de um fato muito natural — respondeu o gerente. — Fazemos essencialmente o mesmo com crianças de quem cuidamos. Como é que você pensa que as ensinamos a andar? Você pode imaginar pôr uma criança de pé e dizer "Ande", e quando ela cai, apanhá-la, espancá-la e dizer: "Eu lhe disse para andar." Não, você a põe de pé, ela balança um pouco, você fica todo animado e diz: "Ela ficou de pé, ela ficou de pé" e abraça e beija a criança. No dia seguinte, ela fica de pé um pouco mais de tempo, talvez dê um passo vacilante e você a cobre de beijos e abraços.

"Finalmente, a criança, compreendendo que isto é bom, começa a mexer mais as pernas, até que consegue andar.

"A mesma coisa acontece quando se ensina uma criança a falar. Suponhamos que você quer que uma criança diga: 'Dê-me um copo de água, por favor.' Se fosse esperar até que ela dissesse a frase toda antes de lhe dar água, ela morreria primeiro de sede. Assim, você começa dizendo: 'Água, água.' De repente, certo dia, a criança diz 'Aga'. Você fica felicíssimo, abraça e beija a criança, chama a avó ao telefone para que a criança possa dizer 'Aga, aga'. Ela não disse 'água', mas chegou perto.

"Bem, você não vai querer que uma pessoa de 21 anos entre num restaurante e peça um copo de 'aga', de modo que, depois de algum tempo, só aceita a palavra 'água' e, em seguida, começa com o 'por favor'.

"Esses exemplos ilustram que a coisa mais importante no treinamento de uma pessoa para torná-la vencedora é 'flagrá-la' fazendo alguma coisa certa. No início, aproximadamente certa, e aos poucos levando-a para o comportamento desejado. Com um vencedor, não é preciso 'flagrá-lo' com muita freqüência fazendo coisas certas porque estes 'flagram-se' a si mesmos fazendo essas coisas como devem, e podem, eles mesmos, proporcionar o auto-reforço.

— É por isso que, no início, o senhor observa de perto os novatos — perguntou o jovem — ou quando seu pessoal mais experiente inicia um novo projeto?

— Exatamente — confirmou o Gerente-Minuto. — A maioria dos gerentes espera até que seu pessoal faça algo totalmente certo antes de elogiá-lo. Como resultado, muitos jamais chegam a ter um ótimo desempenho, porque seus gerentes concentram-se em "flagrá-los" fazendo coisas erradas, isto é, tudo o que fica aquém do desempenho desejado. No exemplo do pombo, isso seria como colocá-lo na caixa e não só esperar que ele pressionasse a alavanca para dar-lhe comida mas colocar alguns fios elétricos em volta dele para castigá-lo periodicamente, apenas para mantê-lo motivado.

— Não parece que esse sistema seja muito eficaz — sugeriu o jovem.

— Realmente não é — concordou o Gerente-Minuto. — Depois de ser castigado por algum tempo, e sem saber o que é o comportamento aceitável (isto é, apertar a alavanca), o pombo se retiraria para um canto da caixa e não se moveria mais. Para ele, aquilo seria um ambiente hostil e não valeria a pena assumir qualquer risco nele.

"Isso é o que freqüentemente fazemos com pessoas novas, inexperientes. Damos-lhes as boas-vindas a bordo, as levamos para conhecer algumas pessoas e, em seguida, as deixamos sozinhas. Não só não as 'flagramos' fazendo alguma coisa aproximadamente certa, mas periodicamente as punimos apenas para mantê-las em movimento. Este é o mais popular de todos os estilos de liderança. Nós o chamamos de estilo 'deixe-o sozinho e depois caia em cima dele'. Deixamos a pessoa sozinha, esperando bom desempenho dela e, quando não o obtemos, a punimos.

— O que é que acontece com essas pessoas? — perguntou o jovem.

— Se esteve numa empresa, e sei que visitou várias delas — disse o gerente —, então você sabe porque as conheceu. Trabalham o mínimo possível. E esse é o problema, hoje, com a maioria das empresas. Seu pessoal realmente não produz nem quantitativa nem qualitativamente. E grande parte desse desempenho medíocre no mundo dos negócios deve-se simplesmente ao mau gerenciamento de pessoas.

O jovem pôs de lado a sua agenda e pensou no que acabara de ouvir. Começava a compreender o que era realmente a Gerência-Minuto: um instrumento prático de administração de negócios.

Era espantoso para ele como algo tão simples como o Elogio-Minuto funcionava — dentro ou fora do mundo empresarial.

— Isso me lembra alguns amigos meus — disse o jovem. — Telefonaram-me e disseram que tinham ganho um cão novo. E me perguntaram o que eu pensava do método que planejavam usar para treinar o cão.

O gerente teve quase medo de perguntar:

— E como era que eles iam fazer isso?

— Disseram que se o cão fizesse alguma sujeira no tapete, iam pegá-lo, esfregar-lhe o focinho na coisa, dar-lhe uma pancada no traseiro com um jornal enrolado, lançá-lo para fora, pela janela da cozinha, até o quintal, que era o lugar onde ele devia fazer suas necessidades.

"Depois, perguntaram-me o que eu pensava que aconteceria com o emprego desse método. Eu ri porque sabia o que ia acontecer. Depois de três dias, o cachorro fazia a sujeira no tapete e saltava pela janela. Ele não sabia o que fazer, mas sabia que era melhor sumir dali.

O gerente soltou uma grande gargalhada.

— Essa é uma excelente história — disse. — Veja, é isso o que o castigo faz quando usado com alguém que carece de confiança ou se sente inseguro devido à falta de experiência. Se pessoas inexperientes não têm um bom desempenho (isto é, se não fazem o que queremos que façam), então, em vez de puni-las, precisamos voltar ao Estabelecimento de Objetivos-Minuto e nos assegurarmos de que compreendam o que se espera delas e que saibam o que é bom desempenho.

— Bem, depois de repetir o Estabelecimento de Objetivos-Minuto, o senhor tenta novamente "flagrar" a pessoa fazendo alguma coisa aproximadamente certa? — perguntou o jovem.

— Exatamente — concordou o Gerente-Minuto. — No início, tentamos sempre criar situações que justifiquem a aplicação de Elogios-Minuto.
— Em seguida, olhando para o jovem, o gerente disse: — É um aprendiz muito interessado e receptivo. É por isso que me sinto satisfeito em compartilhar com você os segredos da Gerência-Minuto. — Sorriram ambos. Eles reconheciam um Elogio-Minuto quando o ouviam.

— Eu certamente gosto muito mais de um elogio do que de uma repreensão — confessou rindo o jovem. — Acho que compreendo agora por que funcionam os Objetivos-Minuto e os Elogios-Minuto. Para mim, eles realmente fazem muito sentido.

— Ótimo — comentou o Gerente-Minuto.

— Mas não consigo imaginar por que a Repreensão-Minuto funciona — disse em dúvida o jovem.

— Acho que vou contar-lhe algo sobre ela — prometeu o Gerente-Minuto.

São várias as razões por que as Repreensões-Minuto funcionam tão bem.

"Para começar — explicou o gerente — a comunicação da Repreensão-Minuto é imediata. Isto é, chegamos ao indivíduo logo que observamos o "mau comportamento" ou nosso sistema de informações nos avisa disso. Não é conveniente acumular ou abafar sentimentos negativos sobre o desempenho fraco de uma pessoa.

"A comunicação imediata constitui uma importante razão para que a Repreensão-Minuto funcione tão bem. A menos que a medida disciplinar seja tomada logo após o mau comportamento, ela costuma não ser útil para influenciar o comportamento futuro. A maioria dos gerentes é do tipo que 'acumula' as coisas. Isto é, armazenam observações de comportamento inadequado até que um dia, quando chega a hora da avaliação de desempenho, ou porque estão com o 'saco cheio demais', explodem e 'despejam tudo sobre a mesa'. Dizem às pessoas tudo o que fizeram de errado nas últimas semanas, meses, ou mesmo mais.

O jovem exalou um profundo suspiro e disse:
— Como isso é verdade!

— Gerente e subordinado — continuou o Gerente-Minuto — acabam geralmente gritando um com o outro sobre os fatos ou apenas guardam silêncio e rancor recíproco. A pessoa que recebe o *feedback* não é informada realmente do que fez de errado. Trata-se de uma versão de forma de disciplina "deixe-o sozinho e depois caia em cima", sobre a qual falei antes.

— Lembro-me muito bem dela — respondeu o jovem. — E isso é algo que certamente quero evitar.

— Sem dúvida nenhuma — concordou o gerente. — Se os gerentes interviessem mais cedo, poderiam tratar de um único tipo de comportamento de cada vez e a pessoa que recebe a disciplina não se sentiria arrasada. Poderia dar ouvidos ao *feedback*. Esse é o motivo por que acho que o *feedback* sobre o desempenho é um processo contínuo, e não algo a ser feito apenas uma vez por ano, quando se preenche a avaliação de desempenho.

— Assim, uma das razões porque a Repreensão-Minuto funciona é que a pessoa que a recebe pode "ouvir" o *feedback* porque quando o gerente lida com um comportamento de cada vez, isto parece mais justo e claro — resumiu o jovem.

— Isso mesmo. E quando aplico uma Repreensão-Minuto, nunca ataco a dignidade e o valor da pessoa. Uma vez que ela, como pessoa, não vai a julgamento, não sente que tem que defender-se. Eu repreendo apenas o *comportamento*. Desta maneira tanto o *feedback* que lhe dou, como a própria reação da pessoa, prendem-se a um comportamento específico e não aos seus sentimentos sobre si mesma como ser humano

"Com freqüência, quando disciplinam pessoas, os gerentes perseguem indivíduos. Minha finalidade com a Repreensão-Minuto é corrigir o comportamento e preservar a pessoa.

— Então, é por isso que a segunda parte da repreensão é o elogio — disse o jovem. — O comportamento da pessoa deixa a desejar. Mas, ela, como pessoa, não.

— Isso mesmo — anuiu o gerente.

— Por que o senhor não faz o elogio primeiro e a repreensão depois? — sugeriu o jovem.

— Por alguma razão, esse procedimento não funciona — explicou o gerente. — Algumas pessoas, lembro-me agora, dizem que eu sou Bom e Exigente como gerente. Mas, para ser mais exato, eu sou realmente Exigente e Bom.

— Exigente e bom — repetiu o jovem.

— Isso mesmo — disse o gerente. — Trata-se de uma velha filosofia, que vem funcionando bem há milhares de anos.

"Há, na verdade, uma história na China antiga que ilustra esse conceito. Certa vez, um imperador nomeou uma espécie de primeiro-ministro. Chamou à sua presença esse primeiro-ministro e, em essência, disse-lhe o seguinte: *Por que não dividimos as tarefas? Por que você não aplica todos os castigos e eu faço todas as premiações?* O primeiro-ministro respondeu: *Ótimo. Darei todas as punições e o senhor dará todas as recompensas.*

— Essa história pareceu boa — disse o jovem.

— E é mesmo — respondeu o Gerente-Minuto, com um sorriso.

"Bem, esse imperador logo passou a notar que todas as vezes em que pedia a uma pessoa que fizesse algo, ela poderia fazê-lo ou não. Contudo, quando o primeiro-ministro falava, todo mundo se punha em movimento. Em vista disso, o imperador chamou de volta o primeiro-ministro e disse-lhe: *Por que não dividimos nossas tarefas outra vez? Há algum tempo você vem aplicando todas as punições. Assim vou aplicar as punições e você as recompensas.* Portanto, o primeiro-ministro e o imperador, mais uma vez, trocaram de papéis.

"Dentro de um mês, porém, o primeiro-ministro era o imperador. O imperador era uma pessoa boa, recompensando e sendo bom para todos. Depois, começou a castigar. As pessoas diziam: *O que é que deu nesse velho? Está maluco?* E derrubaram-no, sem-cerimônia. Quando chegou a hora de escolher um substituto, disseram: *Sabem quem está despontando agora? O primeiro-ministro.* E colocaram-no no trono.

— Essa história é verdadeira? — quis saber o jovem.

— Quem é que se importa com isso? — retrucou rindo o Gerente-Minuto. — Mas, falando sério, eu sei o seguinte: se você for exigente primeiro quanto ao comportamento e, *depois*, der apoio à pessoa, o sistema funciona.

— O senhor conhece algum exemplo moderno em que a Repreensão-Minuto tenha funcionado fora da área gerencial? — perguntou o jovem ao sábio gerente.

— Ora, certamente — respondeu o gerente. Vou mencionar dois deles: o primeiro com graves problemas de comportamento de adultos e o segundo envolvendo disciplina de crianças.

— O que é que o senhor quer dizer com "graves problemas de comportamento de adultos?" — perguntou o jovem.
— Estou falando em particular sobre os alcoólatras — explicou o gerente. — Mais ou menos há 30 anos, um clérigo observador descobriu a técnica que hoje é chamada de "intervenção de crise". Fez a descoberta quando ajudava a esposa de um médico. Ela se encontrava num hospital de Minnesota, em estado grave, morrendo aos poucos de cirrose do fígado. Mas ela continuava a negar que tivesse um problema de bebida. Certa vez, reunida toda a família em torno da cama da doente, o clérigo pediu-lhes que descrevessem incidentes específicos de bebedice observados por eles. Esta é uma parte importante da Repreensão-Minuto. Antes de aplicar a repreensão, temos que observar pessoalmente o comportamento. Não podemos nos basear no que outra pessoa viu. Nunca se aplica uma repreensão baseada em "ouvir dizer".
— Interessante — comentou o jovem.
— Deixe-me terminar. Depois que todos os membros da família descreveram situações específicas de comportamento, o clérigo pediu a cada um deles que dissesse à mulher o que sentia a respeito desses incidentes. Todos em volta dela, um após outro, lhe disseram, em primeiro lugar, o que ela *fizera* e, em segundo, como se haviam *sentido* a esse respeito. Mostraram-se todos eles zangados, frustrados, envergonhados. Em seguida, disseram-lhe o quanto a amavam, instintivamente tocaram-na e suavemente lhe garantiram que queriam que ela vivesse e voltasse, mais uma vez, a apreciar a vida. Era esse o motivo por que estavam tão zangados com ela.

— Isso parece tão simples — comentou o jovem —, especialmente com algo tão complicado como um problema de bebida. E funcionou?

— De maneira impressionante — reiterou o gerente. — Hoje há centros de intervenções de crise por todo o país. A situação não é tão simples como eu a resumi, claro. Mas os três ingredientes básicos: dizer à pessoa o que ela fez de errado, informá-la como se sente a esse respeito e lembrar-lhe que ela tem dignidade e valor resultam em grandes melhoramentos no comportamento da pessoa.

— Isso é realmente incrível — comentou o jovem.

— Eu sei que é — concordou o gerente.

— O senhor disse que me daria dois exemplos da maneira como outras pessoas usaram com sucesso métodos como a Repreensão-Minuto — lembrou o jovem.

— Sim, claro. Em princípios da década de 70, um psiquiatra, terapeuta familiar, da Califórnia fez também a mesma espantosa descoberta no tocante a crianças. Ele lera um bocado sobre vínculos, sobre laços emocionais entre as pessoas. Sabia do que as pessoas necessitavam. As pessoas precisam estar em contato com outras que gostem delas, serem aceitas como pessoas de valor, simplesmente pelo fato de serem pessoas.

"O médico — continuou — sabia também que as pessoas precisam ser encaradas seriamente: serem repreendidas por pessoas que gostam delas quando não se comportam bem.

— Como é que isso se transforma em ação prática? — perguntou o jovem.

— Os pais são ensinados a tocar fisicamente o filho, colocando a mão sobre o ombro dele, segurando-lhe o braço ou, se ele é muito pequeno, colocando-o no colo. Em seguida, o genitor diz ao filho exatamente o que ele fez de errado e o que sente a esse respeito, em termos inequívocos. (Veja você que isto é muito parecido com o que os membros da família fizeram com a doente.) Finalmente, o genitor respira fundo, deixa passar alguns segundos de silêncio, de modo a que a criança possa *sentir* o que seu progenitor está sentindo. Em seguida, ele lhe diz como ela é valiosa e importante para ele.

"Compreenda — lembrou o gerente — que é muito importante ao gerenciar pessoas lembrar que comportamento e valor pessoal não são a mesma coisa. O que tem realmente valor é a *pessoa* administrar seu próprio comportamento. Isto se aplica a cada um de nós como gerentes bem como a cada uma das pessoas que gerenciamos.

"Na verdade — prosseguiu o gerente, apontando para uma de suas placas favoritas —, se estiver convicto disso, você terá a chave para uma repreensão realmente bem-sucedida.

*

*Nós Não Somos
Apenas
Nosso Comportamento*

**Somos,
Também,
a Pessoa Que Administra
Nosso Comportamento**

*

"Se se aperceber de que está gerenciando pessoas, e não apenas seu comportamento imediato — concluiu o gerente —, você se sairá bem.

— A impressão que tenho é que há muito de consideração e respeito por trás de uma repreensão dessas — sugeriu o jovem.

— Que bom que notou isso, jovem. Você será bem-sucedido com a Repreensão-Minuto quando realmente se interessar pelo bem-estar da pessoa a quem repreende.

— Isso me lembra — disse o jovem — o Sr. Levy que me disse que o senhor dá-lhe um toque no ombro, aperta-lhe a mão ou, de alguma outra maneira, faz contato com ele durante o elogio. E agora noto também que os pais são encorajados a tocar os filhos durante a repreensão. Será o toque uma parte importante das Repreensões e Elogios-Minuto?

— Sim e não — respondeu com um sorriso o gerente. — Sim, se você conhece bem a pessoa e está claramente interessado em ajudá-la a ser bem-sucedida em seu trabalho. E, não, se você ou a outra pessoa tiverem qualquer dúvida a esse respeito.

"O toque — frisou o gerente — constitui uma mensagem muito poderosa. Pessoas têm sentimentos fortes sobre serem tocadas e isso precisa ser respeitado. Você gostaria, por exemplo, que alguém, sobre cujos motivos você tem dúvidas, o tocasse durante um elogio ou reprimenda?

— Não — respondeu categórico o jovem. — Realmente, não gostaria.

— Então, você entende o que eu quero dizer — observou o gerente. — O toque é em si muito honesto. As pessoas percebem imediatamente, quando as toca, se você gosta delas ou se está simplesmente tentando descobrir uma nova maneira de manipulá-las.

"No toque — lembrou o gerente — há uma regra muito simples. Toque, mas não tire nada. Toque as pessoas que dirige apenas quando lhes estiver *dando* alguma coisa: tranqüilidade, apoio, encorajamento, seja o que for.

— Por isso então — disse o jovem —, devemos evitar tocar uma pessoa até que a conheçamos bem e ela saiba que estamos interessados em seu sucesso, que estamos claramente do lado dela. Até aí, tudo bem. Mas — continuou hesitante — embora a Repreensão-Minuto e o Elogio-Minuto sejam bem simples, não constituem, na realidade, meios igualmente poderosos para levar as pessoas a fazerem o que queremos que façam? E isto não é ser manipulativo?

— Você tem razão quando diz que a Gerência-Minuto se constitui num meio poderoso para levar as pessoas a fazerem aquilo que queremos — confirmou o gerente.

"Contudo, a manipulação consiste em levar a pessoa a fazer algo de que *não se apercebe* ou com o qual *não concorda*. Este o motivo por que é tão importante deixar que cada pessoa saiba, logo no início, o que você está fazendo e por quê.

"Esse conceito — explicou o gerente — é igual a tudo o mais na vida. Há coisas que funcionam, e outras, não. Ser honesto com as pessoas no final funciona. Por outro lado, como você provavelmente aprendeu em sua própria vida, ser desonesto no final acaba por levar a rompimentos. É tão simples assim.

— Compreendo agora — disse o jovem — de onde provém a força de seu estilo gerencial: o senhor se importa com as pessoas.

— Sim — confessou com simplicidade o gerente. — Acho que me importo, sim.

O jovem lembrou-se, nesse momento, como lhe parecera ríspido aquele gerente, quando o conhecera.

E o gerente pareceu ler seus pensamentos, ao dizer:

— Às vezes, precisamos gostar o bastante para sermos rigorosos e exigentes. E eu sou. Sou muito exigente com o desempenho ruim, mas só com o desempenho. Jamais sou rigoroso com a pessoa.

O jovem estava gostando do Gerente-Minuto. Nesse momento, sabia por que as pessoas gostavam de trabalhar com ele.

— Talvez o senhor julgue isto interessante — disse o jovem, mostrando sua agenda. — São os dizeres de uma placa que acabo de criar para lembrar-me como os *objetivos*, os Objetivos-Minuto, e as *conseqüências*, os Elogios e Repreensões, afetam o comportamento das pessoas.

*

*Objetivos
Iniciam
Comportamentos*

*Conseqüências
Mantêm
Comportamentos*

*

— Isso é muito bom! — exclamou o gerente.
— O senhor pensa realmente assim? — perguntou o jovem, querendo ouvir outra vez os cumprimentos.
— Jovem — disse o gerente, falando bem devagar para dar ênfase às suas palavras —, não é meu papel na vida ser um gravador de fita humano. Eu, de fato, não tenho tempo para repetir continuamente o que já disse.

Exatamente no momento em que pensara que ia ser elogiado, o jovem sentiu que ia levar outra Repreensão-Minuto, algo que queria evitar.

O inteligente jovem manteve um rosto impassível e perguntou simplesmente:
— O quê?

Entreolharam-se os dois por um momento e explodiram numa gargalhada.
— Eu gosto de você, jovem — disse o gerente.
— Que tal vir trabalhar aqui?

O jovem pôs de lado a agenda azul e fitou-o atônito.
— O senhor quer dizer, trabalhar para o senhor? — perguntou, entusiasmado.
— Não. Quero dizer, trabalhar para você, como as outras pessoas em meu departamento. Ninguém trabalha realmente para qualquer outra pessoa. Eu simplesmente ajudo pessoas a trabalharem melhor e, nesse processo, trazer proveito à nossa empresa.

Isto era, naturalmente, o que o jovem estivera buscando durante todo o tempo.
— Eu adoraria trabalhar aqui — disse.

E assim foi — por algum tempo.

O tempo que o gerente muito especial investira nele produziu frutos. Porque, no fim, o inevitável aconteceu:

ELE tornou-se um Gerente-Minuto.

Ele se transformou num Gerente-Minuto não porque pensasse ou falasse como um deles, mas porque se comportava como um deles.

Ele estabelecia Objetivos-Minuto.
Fazia Elogios-Minuto.
Aplicava Repreensões-Minuto.

Fazia perguntas curtas, importantes; dizia a verdade, pura e simples; ria, trabalhava, sentia-se satisfeito.

E, talvez mais importante que tudo isso, encorajava as pessoas que com ele trabalhavam a proceder da mesma forma.

Ele até mesmo criou um "Plano de Jogo", formato de bolso, para facilitar a outras pessoas, ao seu redor, que se tornassem, eles mesmos, Gerentes-Minuto. Ele deu a cada um de seus colaboradores um exemplar como presente.

100/Um Presente a Si Mesmo

O "PLANO DE JOGO" DO GERENTE-MINUTO

Um resumo do
"PLANO DE JOGO" DO GERENTE-MINUTO

Como dar-se a si mesmo e aos outros "o presente" de obter maiores resultados em menos tempo.
ESTABELEÇA OBJETIVOS; ELOGIE E REPREENDA
COMPORTAMENTOS; AJUDE AS PESSOAS A SE DESENVOLVER;
FALE A VERDADE; RIA; TRABALHE; DIVIRTA-SE
e encoraje as pessoas com quem você trabalha a fazer o mesmo!

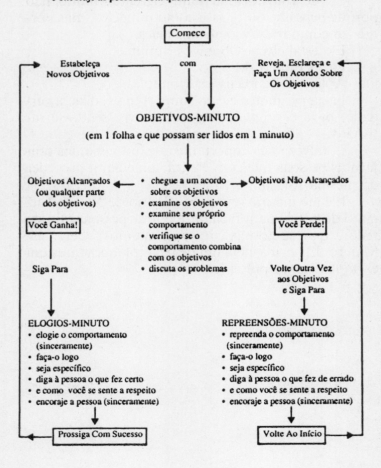

MUITOS anos depois, o mesmo homem relembrou o dia em que, pela primeira vez, ouvira falar nos princípios da Gerência-Minuto. Parecia ter sido há muito tempo. Sentia-se satisfeito porque anotara tudo o que aprendera com o Gerente-Minuto.

Transformara as notas num livro e presenteara muitas pessoas com exemplares dele.

Lembrava-se de que a Sra. Gomez lhe telefonara, dizendo:

— Não há como lhe agradecer o suficiente. O seu livro teve uma grande importância para o meu trabalho.

Essas palavras agradaram-no.

Relembrando o passado, sorriu. Voltou-lhe à mente tudo o que aprendera com o Gerente-Minuto original, e sentiu-se grato.

O novo gerente estava feliz também porque pudera levar um passo mais longe aqueles conhecimentos. Distribuindo exemplares entre numerosas pessoas na empresa, solucionara diversos problemas práticos.

Todos os que trabalhavam com ele sentiam-se seguros. Ninguém se julgava manipulado ou ameaçado, porque todos sabiam, *"desde o início"*, o que ele fazia e por quê.

Podiam também compreender *por que* as técnicas aparentemente simples da Gerência-Minuto — Objetivos, Elogios, Repreensões — funcionavam tão bem com as pessoas.

As pessoas que possuíam exemplares do livro podiam lê-lo e relê-lo à vontade, até o entenderem bem e dele fazerem bom uso. O gerente conhecia muito bem o valor prático da repetição no aprendizado de tudo o que é novo.

Compartilhar com outros esses conhecimentos, dessa forma simples e honesta, lhe economizara evidentemente muito tempo. E, sem dúvida, tornara mais fácil seu trabalho.

Muitos de seus colaboradores tornaram-se, eles mesmos, Gerentes-Minutos. E eles, por sua vez, haviam feito a mesma coisa por seus colaboradores.

A empresa inteira se tornou mais eficaz.

Sentado à sua mesa, pensando, o novo Gerente-Minuto deu-se conta de quanto era afortunado. Dera a si mesmo o presente de obter maiores resultados em menos tempo.

Tinha tempo para pensar e planejar — para dar à empresa o tipo de ajuda de que ela necessitava.

Tinha tempo para exercitar-se e permanecer sadio.

Sabia que não experimentava a tensão emocional e física a que viviam submetidos outros gerentes.

E sabia que muitas outras pessoas que com ele trabalhavam desfrutavam dos mesmos benefícios.

Em seu departamento os gastos com rotatividade de pessoal eram menores, as doenças menos numerosas e o absenteísmo menor. Os benefícios eram significativos.

Relembrando, ficou satisfeito por não ter esperado para utilizar a Gerência-Minuto, até que pudesse fazê-lo de modo *absolutamente correto*.

Depois que seu pessoal foi informado sobre esse sistema de gerência, perguntara a cada um deles se gostaria de se reportar a um Gerente-Minuto. Feliz da vida, descobriu que havia algo que aquelas pessoas *realmente* queriam ainda mais do que aprenderem, elas mesmas, a serem Gerentes-Minuto. E isto era *ter um Gerente-Minuto como Chefe!*

Ao saber disso, ficou muito mais fácil para ele dizer ao seu pessoal que ele não tinha certeza de que poderia desempenhar seu papel exatamente do modo "teoricamente correto".

"Não estou acostumado a dizer às pessoas como elas são competentes e como me sinto a respeito das coisas", dissera ele. "E não tenho certeza de que me lembrarei de ficar calmo, depois de repreender uma pessoa e, em seguida, dizer-lhe como ela é valiosa como pessoa."

A resposta, típica, dos colegas de trabalho fê-lo sorrir: "Bem, você, pelo menos, poderia *tentar!*"

Simplesmente perguntando ao pessoal se queria ser dirigido por um Gerente-Minuto, e reconhecendo que talvez não pudesse desincumbir-se de maneira correta desse papel, conseguira algo de muito importante. Seus colaboradores perceberam, desde o começo, que ele estava sendo honesto. E *isto* fez toda a diferença.

O novo Gerente-Minuto levantou-se de sua mesa e começou a passear pelo escritório bem-arrumado. Estava refletindo profundamente.

Sentia-se satisfeito consigo mesmo — como pessoa e como gerente.

Seu interesse pelas pessoas fora regiamente recompensado. Subira na empresa, adquirindo mais responsabilidades e recebendo maiores recompensas.

E tinha certeza de que se tornara um gerente eficaz, porquanto tanto a empresa como seus funcionários beneficiavam-se claramente com sua presença.

DE repente, o interfone tocou, assustando-o.
— Desculpe-me, senhor, por interrompê-lo — disse sua secretária —, mas temos uma jovem ao telefone. Ela quer saber se poderia vir conversar com o senhor sobre a maneira como gerenciamos pessoas.

O novo Gerente-Minuto ficou satisfeito. Ele sabia que muitas mulheres faziam sua incursão no mundo dos negócios. E ele estava feliz de que algumas delas estavam, assim como ele mesmo no início, ansiosas por aprender tudo sobre gerência. O trabalho em seu departamento desenvolvia-se sem tropeços, suavemente. Como se poderia esperar, era uma das melhores operações de seu tipo no mundo.

Seu pessoal era produtivo e feliz.

E ele, também. Sentia-se bem em seu cargo.

— Venha quando quiser — ouviu a si mesmo dizer ao telefone.

Pouco tempo depois, conversava com uma jovem de aparência inteligente.

— É um prazer compartilhar com você meus segredos de gerência — disse o novo Gerente-Minuto, levando a visitante até um sofá. — Só lhe faço um pedido.

— Qual? — perguntou a visitante.

— Simplesmente — começou o gerente — que você...

*
Compartilhe-os com os Demais
*

Fim

Agradecimentos

Ao longo dos anos, aprendemos com numerosas pessoas e fomos por elas influenciados. Por isso mesmo, gostaríamos de agradecer e publicamente elogiar as pessoas abaixo:

Um Agradecimento Especial ao:

Dr. Gerald Nelson, criador da Reprimenda-Minuto, um método extraordinariamente eficaz de os pais disciplinarem seus filhos. Adaptamos seu método na "Repreensão-Minuto", um método igualmente eficaz na disciplina *gerencial*.

E ainda a:

Dr. Elliott Carlisle, pelo que nos ensinou sobre gerentes produtivos que têm tempo para pensar e planejar.

Dr. Thomas Connellan, pelo que nos ensinou sobre a maneira de tornar claros e compreensíveis os conceitos e teorias comportamentais.

Dr. Paul Hersey, pelo que nos ensinou sobre a integração das várias ciências comportamentais aplicadas num todo útil.

Dr. Vernon Johnson, pelo que nos ensinou sobre o Método de Intervenção de Crise no tratamento de alcoólatras.

Drs. Dorothy Jongeward, Jay Shelov e *Abe Wagner,* pelo que nos ensinaram sobre comunicação e aceitação de pessoas.

Dr. Robert Lorber, pelo que nos ensinou sobre a aplicação e uso de conceitos comportamentais nos negócios e indústria.

Dr. Kenneth Majer, pelo que nos ensinou sobre estabelecimento de objetivos e desempenho.

Dr. Charles McCormick, pelo que nos ensinou sobre toque e profissionalismo.

Dr. Carl Rogers, pelo que nos ensinou sobre honestidade e franqueza nas pessoas.

Louis Tice, pelo que nos ensinou sobre a liberação do potencial humano.

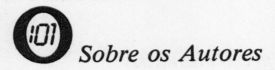

Sobre os Autores

O Dr. Kenneth Blanchard, Presidente do Conselho de Administração da Blanchard Training and Development, Inc. (BTD), é um escritor, educador e consultor/treinador internacionalmente conhecido. É o co-autor de um texto altamente elogiado e usado sobre liderança e comportamento nas organizações, *Management of Organization Behavior: Utilizing Human Resources*, que se encontra na 4.ª edição e foi traduzido para numerosos idiomas. Recentemente, fez parte do Conselho editorial do *Group & Organization Studies: The International Journal for Group Facilitators*.

O Dr. Blanchard recebeu seu bacharelado em Governo e Filosofia na Universidade de Cornell, um mestrado em Sociologia e Aconselhamento na Universidade Colgate, e um doutorado na Universidade de Cornell em Administração e Gerência. Atualmente, é Professor de Liderança e Comportamento Organizacional na Universidade de Massachusetts, Amsherst. Além disso, é membro dos National Training Laboratories (NTL).

Como consultor, o Dr. Blanchard assessorou conhecidas empresas e órgãos como a Chevron, Lockheed, AT&T, Holiday Inns, Young Presidents'Organization (YPO), as Forças Armadas dos Estados Unidos e a UNESCO. O Método de Liderança Situacional, Hersey-Blanchard foi incluído nos programas de treinamento e desenvolvimento de recursos humanos da Mobil Oil, Caterpillar, Union 76, IBM, Xerox, The Southland Corporation e numerosas outras empresas em rápida fase de crescimento.

Como consultor de empresas, o Dr. Blanchard profere palestras e conduz seminários no mundo inteiro. No Brasil, ele esteve em março de 1987, conduzindo seminários para executivos e gerentes de alto nível.

O Dr. Spencer Johnson é Presidente do Conselho de Administração da Candle Communications Corporation e ativo escritor, editor, conferencista e consultor de comunicações. Já escreveu mais de uma dezena de livros sobre medicina e psicologia, com tiragens combinadas de três milhões de exemplares.

O currículo do Dr. Johnson inclui o diploma de psicologia da Universidade de Southern Califórnia, o diploma de médico concedido pelo Royal College of Surgeons, da Irlanda, e internatos médicos na Escola de Medicina de Harvard e na Clínica Mayo.

Foi Diretor-Médico de Comunicações da Medronic, empresa pioneira na fabricação de marcapassos cardíacos, e Médico-Pesquisador do Instituto de Estudos Interdisciplinares, uma equipe médico-social de assessores de alto nível de Minneapolis. Serviu também como consultor de comunicações do Center for the Study of the Person, Human Dimensions in Medicine Aragrom, e do Office of Continuing Education, da Escola de Medicina, Universidade da Califórnia, La Jolla, Califórnia.

Um de seus livros recentes, *O Presente Precioso*, foi elogiado pelo eminente psicólogo Dr. Carl Rogers e pelo Dr. Norman Vincent Peale, tendo este último declarado: "Que mudança poderia ocorrer se todos que lessem este livro aplicassem os princípios que ensina."

Entre seus trabalhos mais recentes se encontram: *A Mãe-Minuto, O Pai-Minuto, Um Minuto para Mim, Sim ou Não, O Professor-Minuto* com Constance Johnson e *O Vendedor-Minuto* com Larry Wilson.

Este livro destinado a gerentes, como todos os demais livros do Dr. Johnson, reflete seu permanente interesse em ajudar pessoas a experimentarem menos tensão e gozarem de melhor saúde graças a melhores comunicações.

112/Serviços Disponíveis

 Serviços Disponíveis

A Blanchard Training and Development, Inc. (BTD) foi fundada em 1979 e tem se destacado como uma das principais empresas americanas de Treinamento, Consultoria e Desenvolvimento de Recursos Humanos, com uma ampla linha de produtos e serviços nas áreas de Gerência-Minuto, Liderança Situacional II, Excelência no Atendimento a Clientes, Desenvolvimento de Equipes de Alto Nível de Desempenho, Autoliderança, Administração da Mudança, Criação de uma Visão Corporativa e outras. Os materiais produzidos pela BTD abrangem vídeos, fitas de áudio, livros, instrumentos de diagnóstico e aprendizagem, manuais de instrutores e participantes e outros recursos de aprendizagem e são distribuídos em mais de 30 países, nos idiomas locais.

Para mais informações sobre serviços e produtos baseados nos conceitos do *O Gerente-Minuto* e outros assuntos correlatos, favor contatar:

Blanchard Training and Development, Inc.
125 State Place
Escondido, CA 92029
(619) 489-5005 ou DDG (800) 854-1013

Spencer Johnson Partners
251 Riverpark Drive, #300
Provo, UT, 84604
Tel.: 801-655-0200 – Fax: 801-655-0202
E-mail: info@whomovedmycheese.com
www.whomovedmycheese.com

Representada no Brasil por:

Intercultural Sistemas e Materiais de Treinamento
Prof. Peter Barth, Presidente
Rod. Philúvio Cerqueira Rodrigues, 5000 – Itaipava
25745-001 Petrópolis – RJ
Tel.: (0242) 22-2422 – Fax: (0242) 22-3226